# ¿Qué le duele?

# ¿Qué le duele?

## Beginning Spanish for Healthcare Professionals

**María Fraser-Molina**
Durham Technical Community College

**Constanza Gómez-Joines**
Durham Technical Community College

CAROLINA ACADEMIC PRESS
Durham, North Carolina

ISBN 0-89089-395-0
LCCN 2003113390

Carolina Academic Press
700 Kent St.
Durham, NC 27701
Telephone (919) 489-7486
Fax (919) 493-5668
www.cap-press.com

Printed in the United States of America

# Contents

# Acknowledgements

We wish to express our appreciation to the editorial staff at Carolina Academic Press, whose effort has been indispensable to us in the creation of this text, and to Todd Gilmore, whose illustrations capture the essence of what we want to communicate.

Several colleagues were particularly generous with advice and suggestions. Elizabeth E. Tolman from the University of North Carolina at Chapel Hill offered her expertise in proofing the textbook. Our Durham Tech colleague Thomas Gould acted as a consultant and provided us with insightful comments and ideas concerning titles and directions. Marco A. Alemán, M.D. served as medical consultant and provided us with useful suggestions concerning the clinical aspects of the text, he also served as one of the voices in the CD. Megan Bauer patiently compiled the glossaries at the end of the book and Ruy Burgos-Lovèce created the index.

We are also grateful to the following friends who generously donated their time and wonderful native voices to record the CD that accompanies the textbook: Liliana Sznaidman, Hugo Castillo, María D. Velázquez, and Luis Molina.

Students in Dr. Gómez-Joines' classes at UNC Hospitals deserve much credit for evaluating the manuscript and providing us with their candid input and suggestions. We are also very grateful to Richard M. Helgans, Human Resource Development Consultant at UNC Hospitals, for his support and willingness to allow us to pilot the materials in the classes. Finally, our sincere thanks to our family and friends for their encouragement and help overcoming obstacles encountered along the way.

# Preface

Welcome to the first edition of *¿Qué le duele? Beginning Spanish for Healthcare Professionals.* The purpose of this book is to teach healthcare professionals how to communicate with their Hispanic patients on a basic conversational level.

Methodologically, *¿Qué le duele?* takes a highly practical approach. Emphasis is placed on helping students to develop listening and oral communication skills. The material presented is a combination of clear grammar explanations and relevant vocabulary. It avoids the extensive grammar explanations of other textbooks, focusing instead on highly applicable and relevant material; more involved grammatical topics are presented in an appendix. Exercises in each chapter begin with simple drills that test students' recognition and comprehension of the material learned. These are followed by more involved and interactive exercises (such as role-plays) geared towards the practice of Spanish in real-life scenarios. In addition, the program contains an auditory component, which helps improve students' listening comprehension skills. At home, students are able to listen to the enclosed CD, reinforcing the material learned in class, while developing an ear for the Spanish language, and improving their pronunciation by means of repetition drills.

In addition to the grammar, vocabulary, and interactive activities, each chapter of *¿Qué le duele?* contains a short text that teaches the student about different aspects of Hispanic culture. As human beings, we have a tendency to view different cultures and their customs using our own framework of reference. This limitation may lead to many misconceptions, to many stereotypes, and to certain biases. To combat this natural tendency, *¿Qué le duele?* emphasizes that the understanding of a group's culture is as important as the understanding of its language. By means of the cultural explanations it is hoped that students will develop a keen sensitivity and appreciation of Hispanic culture.

It is important to consider that *¿Qué le duele?* is not a textbook in the traditional sense. It has a two-fold purpose. On the one hand, it can serve as a traditional textbook. On the other hand, healthcare professionals are able to carry it around their job, using it as a reference tool when speaking with Hispanic patients. As opposed to many textbooks, *¿Qué le duele?* is relatively small and contains an index that allows students to locate the material needed "on the spot." Another feature is its Spanish/English and English/Spanish glossary. Again, the emphasis of the book is on practicality.

Finally, *¿Qué le duele?* is adaptable to classes of different types and lengths. Many hospitals, universities, and community colleges are offering six to eight week introductory Spanish courses with an approximate total of twelve hours of instruction per course. This book is ideal for such a setting, as it can be divided into two parts: the first part for level 1, and the second part for level 2. Because it is so comprehensive, *¿Qué le duele?* is also ideal for semester-long classes offered at community colleges or universities.

The material in this book provides a sound overview of healthcare-related grammar explanations, vocabulary, and expressions. Because the healthcare field is an extensive one, it is up to the teacher, however, to assess the students' specific needs, and to adapt *¿Qué le duele?* to these needs. The teacher should pick and choose the activities that he/she finds most suitable for the specific class.

*¿Qué le duele?* is not only an effective program for the instruction of basic Spanish, but a practical tool for the healthcare professional as well. It provides the building blocks that a student needs in order to communicate successfully with Hispanic patients.

Components: Student Text, CD, and Oral Script

# Capítulo preliminar (*Preliminary Chapter*)

**El alfabeto en español** (*The Spanish Alphabet*)

| LETRA | NOMBRE | EJEMPLO |
|---|---|---|
| a | a | Ana |
| b | be (grande) | bebé |
| c | ce | Cecilia; Carolina |
| d | de | Daniel; dedo (*finger*) |
| e | e | elefante |
| f | efe | Felipe |
| g | ge | Geraldo; García |
| h | hache | hospital |
| i | i | Isabel |
| j | jota | Javier |
| k | ka | kilómetro |
| l | ele | Lola |
| m | eme | Mónica |
| n | ene | nachos |
| ñ | eñe | niño |
| o | o | Olga |
| p | pe | Pedro |
| q | cu | química |
| r | ere | Alfredo |
| s | ese | Susana |
| t | te | Tatiana |
| u | u | usted |
| v | ve (chica) | Verónica |
| w | doble ve (uve doble) | Washington |
| x | equis | excelente |
| y | i griega | soy (*I am*); yerno (*son-in-law*) |
| z | zeta | zorro |

The letters ch, ll, and rr were included in the alphabet until 1994. Dictionaries published before 1995 have separate entries for these combinations of letters.

 P-1 Las letras: What letters are missing? Write in the letter that is missing in order to complete the following proper nouns. Then, write the name of the letter in parenthesis. Follow the example.

Modelo: <u>M</u>éxico (<u>eme</u>)

1. _____ ashington ( _____ )
2. _____ licia ( _____ )
3. _____ uerto Rico ( _____ )
4. Ar_____ entina ( _____ )
5. Bo_____ ivia ( _____ )
6. _____ cuador ( _____ )
7. Fel_____ pe ( _____ )
8. Urugua_____ ( _____ )
9. Pe_____ ú ( _____ )
10. Car_____ lina ( _____ )

P-2 Escuchemos: You will hear a series of words or names spelled out. Write the letters that you hear in the blanks below.

1. ____ ____ ____ ____ ____ ____ ____ ____
2. ____ ____ ____ ____ ____ ____
3. ____ ____ ____ ____ ____ ____ ____ ____
4. ____ ____ ____ ____ ____
5. ____ ____ ____ ____ ____ ____
6. ____ ____ ____ ____ ____ ____
7. ____ ____ ____ ____ ____
8. ____ ____ ____ ____ ____ ____ ____
9. ____ ____ ____ ____ ____
10. ____ ____ ____ ____ ____ ____ ____ ____ ____

P-3 En pareja: Now it's your turn. Spell out your first and last names in Spanish to your partner. Your partner will write down both. Make sure to check his/her spelling. Then, switch roles.

## Los números *(Numbers)*

| | |
|---|---|
| 0 | cero |
| 1 | uno |
| 2 | dos |
| 3 | tres |
| 4 | cuatro |
| 5 | cinco |
| 6 | seis |
| 7 | siete |
| 8 | ocho |
| 9 | nueve |
| 10 | diez |
| 11 | once |
| 12 | doce |
| 13 | trece |
| 14 | catorce |
| 15 | quince |
| 16 | diez y seis o dieciséis |
| 17 | diez y siete o diecisiete |
| 18 | diez y ocho o dieciocho |
| 19 | diez y nueve o diecinueve |
| 20 | veinte |
| 21 | veinte y uno o veintiuno |
| 22 | veinte y dos o veintidós |
| 23 | veinte y tres o veintitrés |
| 24 | veinte y cuatro o veinticuatro |
| 25 | veinte y cinco o veinticinco |
| 26 | veinte y seis o veintiséis |
| 27 | veinte y siete o veintisiete |
| 28 | veinte y ocho o veintiocho |
| 29 | veinte y nueve o veintinueve |
| 30 | treinta |
| 31 | treinta y uno |
| 32 | treinta y dos |
| 33 | treinta y tres |
| 34 | treinta y cuatro |

| 35 | treinta y cinco |
|----|----|
| 36 | treinta y seis |
| 37 | treinta y siete |
| 38 | treinta y ocho |
| 39 | treinta y nueve |
| 40 | cuarenta |
| 50 | cincuenta |
| 60 | sesenta |
| 70 | setenta |
| 80 | ochenta |
| 90 | noventa |
| 100 | cien |

Notice that numbers 16-19 and 21-29 have two optional spellings. Starting with 31, numbers must be written as three separate words.

P-4 ¡Contemos! Following the logical sequence, fill in the blank with the missing number.

1. uno, _____, tres, cuatro, cinco

2. tres, seis, _____, doce, quince

3. seis, doce, _____, cuarenta y ocho

4. quince, dieciséis, _____, dieciocho

5. veinte, veinticinco, _____, treinta y cinco

6. cuarenta y cinco, cincuenta, _____, sesenta

7. setenta, setenta y uno, _____, setenta y tres

8. sesenta, _____, ochenta, noventa

9. setenta y cinco, _____, setenta y siete, setenta y ocho

10. ochenta, ochenta y cinco, _____, noventa y cinco

P-5 Escuchemos: Listen to a series of numbers and write down the numerical equivalent of what you hear.

For example, if you hear "cinco," you write 5.

1 _____

2 _____

3 _____

4  _____

5  _____

6  _____

7  _____

8  _____

9  _____

10 _____

P-6 En pareja: With a partner, take turns counting aloud (from 0-100) following the  patterns provided.

1. even numbers (student #1)
2. odd numbers (student #2)
3. multiples of five (student #1)
4. multiples of ten (student #2)

**Los días de la semana** *(Days of the week)*

| | |
|---|---|
| el lunes | *Monday* |
| el martes | *Tuesday* |
| el miércoles | *Wednesday* |
| el jueves | *Thursday* |
| el viernes | *Friday* |
| el sábado | *Saturday* |
| el domingo | *Sunday* |

• Notice that the days of the week are not capitalized in Spanish.

• In Hispanic countries, the weekly calendar begins on Monday.

• If you want to express that something will happen *on* a given day of the week, you will need to use the definite singular masculine article *el.*

For example,

La cita es <u>el</u> lunes.     *The appointment is on Monday.*

• If you want to express a habitual event or action, you will need to use the definite plural article *los.*

For example,

La clase es <u>los</u> sábados.    *The class is on Saturdays.*

**Los meses del año** *(Months of the year)*

| | |
|---|---|
| enero | *January* |
| febrero | *February* |
| marzo | *March* |
| abril | *April* |
| mayo | *May* |
| junio | *June* |
| julio | *July* |
| agosto | *August* |
| septiembre | *September* |
| octubre | *October* |
| noviembre | *November* |
| diciembre | *December* |

- Like the days of the week, the months are not capitalized in Spanish.

- To indicate dates in Spanish, you must follow a set pattern:

  *el* + (day of the week) + number + *de* + month.

For example,

El (viernes) 25 de febrero        *(Friday) February 25th*

- Because the structure is different in Spanish, the numerical equivalent of the date will be expressed differently. In other words, February 25th will be written in number form as 25/2. It is suggested therefore that healthcare professionals write out the dates for Hispanic patients in order to avoid any confusion.

- The ordinal number ***primero*** is used to indicate the first day of the month. All other dates use cardinal numbers.

For example,

El primero de agosto        *August 1st.*

P-7 Las fechas: Write out the date for the following:

Modelo,
Saturday, May 20th.        <u>El sábado 20 de mayo</u>

1.   Monday, August 15th        _____

2.   Saturday, January 3rd       _____

3.   Wednesday, July 31st        _____

4.   Thursday, March 18th        _____

5.   Tuesday, October 1st         _____

6.   Friday, April 12th            _____

7.   Sunday, November 24th     _____

8.   Wednesday, December 31st  _____

9.   Tuesday, January 1st _____

10.  Saturday, May 20th   _____

P-8 Escuchemos: El señor Rodríguez has had a lot of health problems lately. He has a lot of doctor's appointments coming up and he is very confused. Listen to all the different dates and write them down. (Write the numbers in numerical form but spell out the months).

Modelo: <u>El 25 de junio.</u>

1.   _____

2.   _____

3.   _____

4.   _____

5.   _____

P-9 En pareja: Walk around the room and ask ten classmates when they were born. Follow the example.

Modelo:

Student #1        ¿Cuál es la fecha de su nacimiento?
                  (*When is your date of birth?*)
Student #2        El 25 de febrero.
                  (Provide your date of birth.)

**Práctica:**

A. Practice spelling the following proper nouns and words aloud.

1. emergencia
2. dentista
3. rayo X
4. España
5. Argentina
6. Washington
7. karate
8. fecha
9. nacimiento
10. julio

B. Fill in the blank with the vocabulary word that is missing.

1.  diez, _____, doce, trece

2.  siete, _____, nueve, diez

3.  sesenta y nueve, setenta, _____, setenta y dos

4.  noventa y siete, _____, noventa y nueve

5.  miércoles, jueves, _____, sábado

6.  domingo, _____, martes

7.  febrero, marzo, _____, mayo

8.  noviembre, _____, enero, febrero

9.  agosto, _____, octubre

10. mayo, junio, _____, agosto

C. For each, write out the date.

Modelo:

    13/2    <u>El trece de febrero</u>

1.  29/1    _____

2.  15/3    _____

3.  16/ 7   _____

4.  3/8     _____

5.  11/12   _____

6. 1/10 _____

7. 29/4 _____

8. 22/11 _____

# ¿Qué le duele?

# Capítulo 1

**Primera parte**

**En el consultorio del médico.** *(At the doctor's office)*

| | |
|---|---|
| Dra. Ramírez de Losada: | —Buenos días, Sr. Rodríguez. Me llamo María Ramírez de Losada. |
| Señor Rodríguez: | —Mucho gusto, doctora. |
| Dra. Ramírez de Losada: | —Igualmente. |

**Presentaciones, saludos y despedidas**
*(Introductions, Greetings, and Farewells)*

| | |
|---|---|
| Buenos días | *Good morning* |
| Buenas tardes | *Good afternoon* |
| Buenas noches | *Good evening or* *Good night* |
| Hola | *Hello* |
| ¿Cómo se llama usted? | *What is your name?* |
| Me llamo… | *My name is…* |
| Yo soy… | *I am…* |
| Mucho gusto | *It's a pleasure* |
| Igualmente | *Likewise* |
| Le(s) presento a… | *Let me introduce you to…* |
| ¿Cómo está usted? | *How are you?* |
| (Muy) bien, gracias. | *(Very) well, thank you.* |
| Más o menos | *So so* |
| No muy bien | *Not too good* |
| (Muy) mal | *(Very) bad* |
| Lo siento | *I'm sorry* |
| Hasta luego | *See you later* |
| Hasta mañana | *See you tomorrow* |
| Adiós | *Good-bye* |
| Hay… | *There is/are…* |

3

## Títulos y profesiones *(Titles and Professions)*

| | |
|---|---|
| el/la anestesista | *anaesthetist* |
| el/la asistente social | *social worker* |
| el/la auxiliar médico/a | *physician's assistant* |
| el/la cirujano/a | *surgeon* |
| el/la dentista | *dentist* |
| el/la doctor/a (Dr./Dra.) | *doctor* |
| el/la enfermero/a | *nurse* |
| (practicante) | *(practitioner)* |
| el/la farmacéutico/a | *pharmacist* |
| el/la médico/a | *doctor* |
| el/la paciente | *patient* |
| el/la paramédico/a | *paramedic* |
| el/la psicólogo/a | *psychologist* |
| el/la psiquiatra | *psychiatrist* |
| el/la recepcionista | *receptionist* |
| el/la secretario/a | *secretary* |
| el señor (Sr.) | *Mr.* |
| la señora (Sra.) | *Mrs.* |
| la señorita (Srta.) | *Miss* |
| el/la supervisor/a | *supervisor* |
| el/la terapeuta | *therapist* |

## Expresiones de cortesía *(Courtesy Expressions)*

| | |
|---|---|
| A sus órdenes | *At your service* |
| Con permiso | *Excuse me* |
| De nada | *You're welcome* |
| ¿En qué puedo servirle? | *How can I help you?* |
| Gracias | *Thank you* |
| Perdón | *Pardon me* |
| Por favor | *Please* |

1-1 En el consultorio: Match each question or statement on the left with an appropriate reply on the right.

| | | |
|---|---|---|
| _____ | 1. ¿Cómo se llama usted? | a. De nada. |
| _____ | 2. Mucho gusto. | b. Adiós. |
| _____ | 3. ¿Cómo está Ud.? | c. Me llamo Carolina Arias de Rodríguez. |
| _____ | 4. Hasta luego. | d. Igualmente. |
| _____ | 5. Gracias. | e. Más o menos. |

1-2 Escuchemos: Listen to two short conversations, and then answer the following questions in English.

1. Who is speaking in conversation #1?
2. Who is speaking in conversation #2?
3. How does the patient feel in conversation #2?

1-3 En pareja: Role-play the following situation with a partner. You have just arrived at the doctor's office. The receptionist greets you. Say hello, introduce yourselves, find out how each other is doing, and then say good-bye. Finally, switch roles.

## Artículos definidos e indefinidos (*Definite and Indefinite Articles*)

In Spanish, definite and indefinite articles must agree in number and gender with the nouns that they modify.

For example,

| | |
|---|---|
| el médico, los médicos | the doctor (masc./sing.), the doctors (masc./pl.) |
| la médica, las médicas | the doctor (fem./sing.), the doctors (fem./pl.) |
| un médico, unos médicos | a doctor (masc./sing.), some (or a few) doctors (masc./pl.) |
| una médica, unas médicas | a doctor (fem./sing.), some (or a few) doctors (fem./pl.) |

## Los artículos definidos (*the*)

| | MASCULINE | FEMININE |
|---|---|---|
| SINGULAR | **el** | **la** |
| PLURAL | **los** | **las** |

When you talk about somebody in Spanish, use the definite article when referring to him or her by title; when you address the person directly, however, omit the definite article.

For example,

| | |
|---|---|
| El doctor Masjuan es excelente. | Doctor Masjuan is excellent. |
| "¡Buenos días, doctor Masjuan!" | "Good morning Dr. Masjuan!" |

**Los artículos indefinidos** *(a, an, some, or a few)*

|  | MASCULINE | FEMININE |
|---|---|---|
| SINGULAR | **un** | **una** |
| PLURAL | **unos** | **unas** |

In Spanish, you do not use the indefinite article when you describe someone in terms of his/her profession. If you qualify him/her with an adjective, however, then you include it.

For example,

| | |
|---|---|
| Marisol es enfermera. | Marisol is a nurse. |
| Marisol es una enfermera excelente. | Marisol is an excellent nurse. |

**Género de los sustantivos** *(Gender of Nouns)*

Nouns are words that identify persons, places or objects. In Spanish, all nouns—even those that represent nonliving things—are gendered.

Those nouns that denote living entities are masculine or feminine accordingly.

For example,

| | | | |
|---|---|---|---|
| el hombre | *the man* | la mujer | *the woman* |
| el enfermero | *the nurse (masc.)* | la enfermera | *the nurse (fem.)* |

Those nouns that denote nonliving entities are either masculine or feminine arbitrarily. When you learn the word, the article will indicate its gender.

For example,

| | |
|---|---|
| el hospital (masc.) | la universidad (fem.) |
| el nervio óptico (masc.) | la operación (fem.) |

Notice that many of the Spanish words used in the examples sound the same and mean the same as their English translations. This type of word is called a "cognate." Start training your ear to hear cognates; there are a lot of them! (Cognates will not be translated for you.)

Although the gender of nonliving things is arbitrary, there are some tips that can help you remember whether a noun is feminine or masculine.

1.  Most nouns that end in -o are masculine.

    el niño *(boy)*    el secretario    el termómetro    el rayo X

2. Most nouns that end in -a are feminine.

   la niña (*girl*)     la secretaria     la glándula     la palma

3. Most nouns that end in -ad, -ez, -ión, and -umbre are feminine.

   la libertad     la vejez (*old age*)     la operación     la legumbre (*vegetable*)

4. Most nouns that end in -ema or -ama are masculine.

   el sistema     el enema     el programa

5. Many nouns that denote persons, and that end in -o, simply change the -o to an -a to form the feminine counterpart.

   el enfermero     la enfermera

6. Most often, when a person noun in its masculine form ends in a consonant, the feminine form simply adds an -a to the masculine.

   el doctor     la doctora

7. Certain person nouns have the same masculine and feminine form. In such a case, the article determines the gender.

   el paciente (masc.)     la paciente (fem.)

   Nouns that end in -ista have the same masculine and feminine form.

   el dentista (masc.)     la dentista (fem.)

8. Other times, a person noun may use a completely different word for its masculine and feminine forms.

   el hombre     la mujer

Please note that there are some exceptions to the rules explained above. Some common ones are: el día (*the day*), and la mano (*the hand*). When you learn vocabulary words, you must memorize the exceptions.

1-4 En el hospital: Determine the gender of the following nouns and write the corresponding article in the blank.

| | Definite | Indefinite | |
|---|---|---|---|
| 1. | _____ | _____ | recepción |
| 2. | _____ | _____ | problema |
| 3. | _____ | _____ | doctora |

4. _____    _____    psicólogo
5. _____    _____    sala de operaciones
6. _____    _____    emergencia

1-5 Escuchemos: You will hear six nouns with their definite articles. For each, determine the indefinite article and write it in the corresponding blank. For example if you hear "la mujer," you will write: <u>una</u> (mujer).

1. _____
2. _____
3. _____
4. _____
5. _____
6. _____

1-6 En pareja: Using the nouns provided and the indefinite article (un or una), choose a partner and take turns asking and answering the question exemplified in the model.

Modelo:

Student #1:    ¿Hay una recepción en el hospital?
                (*Is there a reception desk in the hospital?*)
Student #2:    Sí, hay una recepción.
                (*Yes, there is a reception desk*)

psicólogo / sala de operaciones or quirófano (*operating room*) / médico / termómetro / paramédico / secretaria / cafetería / baño (*bathroom*) / sala de rayos X

## El plural de los sustantivos *(The Plural of Nouns)*

1. If a noun ends in a vowel in its singular form, add an -s to make it plural. (Make sure to use the correct form of the article.)

el médico → los médicos    la enfermera → las enfermeras    la sala → las salas

2. If a noun ends in a consonant in its singular form, add -es to make it plural.

el hospital → los hospitales    el doctor → los doctores

3. If a singular noun already ends in an -s, its plural form doesn't change.

la dosis → las dosis

4. If a noun ends in a -z in its singular form, change the -z to a -c and add -es.

  la nariz (*nose*) → las narices

5. If the last syllable of a noun ends in a consonant and has an accent mark, you must drop the accent in the plural form.

  la operación → las operaciones

Please note: If you are referring to a group of people, and at least one of them is male, the whole group becomes masculine.

  For example: Sandra, María, Laura, and José = los enfermeros

1-7 El plural de los sustantivos: Using the definite article, give the plural form of the following nouns.

  1. el asistente _____

  2. el señor _____

  3. la señora _____

  4. la nación _____

  5. la matriz (*womb or uterus*) _____

Now, using the indefinite article, provide the plural form of the following nouns.

  1. un psicólogo _____

  2. una farmacéutica _____

  3. un doctor _____

  4. una estudiante _____

  5. una nariz _____

1-8 Escuchemos: You will hear a series of nouns and their corresponding articles in their singular form. For each, write the plural equivalent.

  1. _____

  2. _____

  3. _____

  4. _____

  5. _____

1-9 En pareja: First, you and your partner will each choose five of the nouns studied so far. Then, practice telling your partner the nouns (using the indefinite article) and he/she will provide the plural equivalent for each. Switch roles.

## Segunda parte

La familia

Hola. Me llamo Pedro Rodríguez. Yo soy profesor. Les presento a mi familia. Mi esposa se llama Carolina. Ella es muy bonita y simpática. Tenemos (*we have*) tres hijos: Pablo, Claudia y Juan. Ellos son muy inteligentes y extrovertidos. Carolina y yo tenemos dos nietos que se llaman Teresa y Juanito; ellos son los hijos de Juan y su esposa, Ana María. Somos una familia chilena.

### La familia *(The Family)*

| | |
|---|---|
| el/la abuelo/a | *grandfather/grandmother* |
| el/la ahijado/a | *godson/goddaughter* |
| el/la bisabuelo/a | *great-grandfather/great-grandmother* |
| el/la cuñado/a | *brother-in-law/sister-in-law* |
| el/la esposo/a | *husband/wife* |
| el/la ex-esposo/a | *ex-husband/ex-wife* |
| el/la hermanastro/a | *stepbrother/stepsister* |
| el/la hermano/a | *brother/sister* |
| el/la hijastro/a | *stepson/stepdaughter* |
| el/la hijo/a | *son/daughter* |
| la madrastra | *stepmother* |
| la madrina | *godmother* |
| la madre/mamá | *mother* |
| el marido | *husband* |
| el/la medio/a hermano/a | *half brother/sister* |
| el/la nieto/a | *grandson/granddaughter* |
| el/la novio/a | *groom/bride or fiancé(e)* |
| la nuera | *daughter-in-law* |
| el padrastro | *stepfather* |
| el padre/papá | *father* |
| los padres | *parents* |
| el padrino | *godfather* |
| el pariente | *relative* |
| el/la primo/a | *cousin* |
| el/la sobrino/a | *nephew/niece* |

| | |
|---|---|
| el/la suegro/a | *father-in-law/mother-in-law* |
| el/la tío/a | *uncle/aunt* |
| el/la vecino/a | *neighbor* |
| el yerno | *son-in-law* |

## Adjetivos generales *(General Adjectives)*

| | |
|---|---|
| alto/a | *tall* |
| amable | *kind* |
| antipático/a | *mean* |
| bajo/a | *short (in stature)* |
| bonito/a | *pretty* |
| débil | *weak* |
| delgado/a | *thin* |
| diabético/a | *diabetic* |
| extrovertido/a | *extroverted* |
| feo/a | *ugly* |
| fuerte | *strong* |
| gordo/a | *fat* |
| gordito/a | *plump* |
| grande | *big* |
| guapo/a | *handsome* |
| inteligente | *intelligent* |
| joven | *young* |
| paciente | *patient* |
| pequeño/a | *small* |
| simpático/a | *nice* |
| soltero/a | *single* |
| tímido/a | *shy* |
| trabajador/a | *hardworking* |
| unido/a | *close (as in family relations)* |
| viejo/a | *old* |
| viudo/a | *widowed* |

## Algunos adjetivos de nacionalidad *(Some Nationality Adjectives)*

| | |
|---|---|
| argentino/a | *Argentine* |
| boliviano/a | *Bolivian* |
| canadiense | *Canadian* |
| chileno/a | *Chilean* |
| colombiano/a | *Colombian* |

| | |
|---|---|
| costarricense | *Costa Rican* |
| cubano/a | *Cuban* |
| ecuatoriano/a | *Ecuadorian* |
| español/a | *Spanish* |
| estadounidense | *of the United States of America* |
| guatemalteco/a | *Guatemalan* |
| hondureño/a | *Honduran* |
| mexicano/a | *Mexican* |
| nicaragüense | *Nicaraguan* |
| norteamericano/a | *North American* |
| panameño/a | *Panamanian* |
| paraguayo/a | *Paraguayan* |
| peruano/a | *Peruvian* |
| puertorriqueño/a | *Puerto Rican* |
| salvadoreño/a | *Salvadoran* |
| uruguayo/a | *Uruguayan* |
| venezolano/a | *Venezuelan* |

• Nationality adjectives are not capitalized in Spanish.

 1-10 La familia: Following the examples, fill in the blanks with vocabulary words that make sense.

Modelo:    La madre de mi padre es mi <u>abuela</u>.    The mother of my father is my <u>grandmother</u>.

Los hijos de mi hija son mis <u>nietos</u>.    The children of my daughter are my <u>grandchildren</u>.

1. El esposo de mi mamá es mi _____.

2. Los hijos de mi hermano son mis _____.

3. La esposa de mi hijo es mi _____.

4. La hermana de mi esposo es mi _____.

5. Las hijas de mi tía son mis _____.

6. La madre de mi esposo/a es mi _____.

7. El hermano de mi padre es mi _____.

8. El esposo de mi hija es mi _____.

1-11 Escuchemos: You will hear a series of first-person descriptions concerning members of the Rodríguez family. Following the picture below, determine who is speaking.

LA FAMILIA

For example, you will hear: "Yo soy la esposa de Pedro. Me llamo <u>Carolina.</u>"

1. Me llamo _____.

2. Me llamo _____.

3. Me llamo _____.

4. Me llamo _____.

5. Me llamo _____.

 1-12 En pareja: First, draw your immediate family in the form of a family tree. Then, describe who each member is in relation to you. For each member, follow the model below. Switch roles.

Modelo: Es mi <u>(abuela)</u>. Se llama <u>(Susana)</u>. (Singular)
Son mis <u>(sobrinos)</u>. Se llaman <u>(Juan y Guillermina)</u>. (Plural)

**Pronombres personales** *(Subject Pronouns)*

Subject pronouns are words that replace subject nouns. More specifically, they refer to people (*I, you, he, she, etc.*) and not objects or animals (except for pets).

|  | Singular |  | Plural |  |
|---|---|---|---|---|
| 1st person | yo | *I* | nosotros/nosotras | *we* |
| 2nd person | tú | *you (inf.)* | vosotros/vosotras | *you (inf., Spain)* |
| 3rd person | usted | *you (form.)* | ustedes | *you (form.)* |
|  | él | *he* | ellos/ellas | *they* |
|  | ella | *she* |  |  |

- In Spanish, there are two ways of addressing a second person "you": formal and informal. In the singular, "tú" is used in informal settings (when addressing a friend or a child for example) and "usted" is used in formal settings (when addressing a superior, or another adult that you don't know very well). In the plural, "vosotros" is informal, and "ustedes" is formal. In Latin America, however, people use the plural "ustedes" for both formal and informal settings. In Spain, people respect the difference, using "vosotros" for informal situations, and "ustedes" for formal ones.

- In writing, "usted" is abbreviated as Ud., and "ustedes" as Uds. Because this pronoun shares the same verb conjugation with *él* and *ella* in the singular, and with *ellos* and *ellas* in the plural, it is considered to be a third-person pronoun.

**El presente del verbo "ser"** *(The present tense of the verb "ser")*

Ser = To be

| SINGULAR |  |  | PLURAL |  |  |
|---|---|---|---|---|---|
| yo | soy | *I am* | nosotros/as | somos | *we are* |
| tú | eres | *you are (inf.)* | vosotros/as | sois | *you are (inf.)* |
| Ud. | es | *you are (form.)* | Uds. | son | *you are (form.)* |
| él/ella | es | *he/she is* | ellos/as | son | *they are* |

The verb "ser" is an irregular verb and therefore does not follow a set pattern of conjugation. You need to memorize it. Because you will be using Spanish in a professional setting, and usually speaking to another person directly (at times about a third person), we will concentrate on the "yo," "usted," and "él/ella" conjugations for all verbs.

Among other uses, "ser" is used to express occupation, religion, nationality, and inherent characteristics. For example,

El señor Méndez es asistente social. Él es mexicano y es inteligente.

Because the verb conjugation indicates the pronoun, Spanish speakers often omit the pronoun in a sentence, unless they need it for clarification purposes.

(Yo) soy de México.                    I am from Mexico.

For clarification:

Él es de México y ella es de Puerto Rico.    He is from Mexico and she is from Puerto Rico.

More often than not, the pronoun "usted" is included for two reasons:

1. It is very polite as it emphasizes the formality of the situation.
2. It clarifies who the subject is since it shares the same verb conjugation with "él" and "ella."

 1-13 Conjugaciones: Fill in the blank with the correct conjugation of "ser."

1. (Yo) _____ la señora de Rodríguez y _____ dentista.

2. El señor Rodríguez _____ profesor.

3. Claudia y Pablo Rodríguez _____ estudiantes.

4. Los Rodríguez _____ chilenos.

5. ¿De dónde (where from) _____ usted?

1-14 Escuchemos: You will hear a series of subjects. For each, write down the corresponding conjugation of "ser."

1. _____

2. _____

3. _____

4. _____

5. _____

1-15 En pareja: Ask five classmates what their names are and what city they are from; write the information down. Then, report back to the class. Follow the model:

Student #1: —¿Cómo se llama Ud.?
Student #2: —Me llamo <u>Sandra</u>.
Student #1: —¿De qué ciudad es Ud.?
            (*What city are you from?*)
Student #2: —Soy de <u>Durham</u>.

You write: <u>Sandra es de Durham.</u>

## Los adjetivos

In Spanish, adjectives have to agree in number and gender with the noun that they modify.

el hijo simpátic<u>o</u>          the nice son
la hija simpátic<u>a</u>          the nice daughter
los hijos simpátic<u>os</u>       the nice sons
las hijas simpátic<u>as</u>       the nice daughters

Notice that in Spanish most adjectives follow the noun that they modify.

There are several rules that determine adjective agreement:

1. Adjectives whose masculine/singular form ends in -o, change the -o to an -a for the feminine.

    el doctor cuban<u>o</u>          <u>la</u> doctor<u>a</u> cuban<u>a</u>

2. Adjectives whose masculine/singular form ends in -e or in a consonant do not change in the feminine.

    el doctor inteligente         <u>la</u> doctor<u>a</u> inteligente
    el doctor joven               <u>la</u> doctor<u>a</u> joven

3. However, adjectives of nationality that end in a consonant, and adjectives that end in -dor add an -a to the feminine form.

    el doctor trabajador          <u>la</u> doctor<u>a</u> trabajador<u>a</u>
    el doctor español             <u>la</u> doctor<u>a</u> español<u>a</u>

4. To make an adjective plural, add an -s if it ends in a vowel, and an -es if it ends in a consonant.

    los doctor<u>es</u> mexicano<u>s</u> y español<u>es</u>

1-16 Adjetivos: Fill in the blank with the correct form of the adjective in parenthesis. The adjective will be presented to you in its masculine/singular form.

Modelo: La señora de Rodríguez es <u>bonita</u>. (bonito)

1. El señor Rodríguez es _____ (simpático).

2. Claudia es _____ (delgado) y _____ (joven).

3. La mamá de Claudia, Carolina, es _____ (tímido).

4. Pablo y Juan son _____ (extrovertido).

5. Los pacientes son _____ (extrovertido) también (*also*).

6. La familia Rodríguez es muy _____ (amable).

1-17 Escuchemos: Listen to Miguel's description of a few of his family members. Then, determine whether the following sentences are True (<u>C</u>ierto) or False (<u>F</u>also).

1. _____ La familia de Miguel es chilena.

2. _____ La hermana de Miguel, Laura, es muy bonita.

3. _____ Laura es baja y gordita.

4. _____ Laura es extovertida.

5. _____ El hermano de Miguel, Arturo, es muy extrovertido también (*also*).

6. _____ Arturo es guapo, fuerte y simpático.

7. _____ María, la esposa de Arturo, es gordita, baja y bonita.

8. _____ La familia de Miguel no es una familia muy unida.

1-18 En pareja: Using the verb "ser" and the adjectives learned describe two of your family members (one male and one female) to your partner.

**Cultura**

As human beings we tend to look at other groups of people by means of our own cultural reference-system. In order to really learn how to appreciate another culture, and how to speak their language, it is necessary to step outside one's own cultural and linguistic framework, and to keep an open mind. For example, one main difference between Hispanics and North Americans is the concept of personal space. Generally, North Americans very much appreciate well-defined parameters of personal space. In professional and some social settings, North Americans will indeed exhibit some physical contact such as when shaking hands. Hispanics, likewise, will shake hands in professional settings. In social settings, however, friends and relatives express much more familiarity. Men will usually hug or pat each other on the back; women will greet each other and their male friends with one kiss on the cheek (in Latin America) or two kisses (in Spain) — one on each cheek. From a Hispanic perspective, North Americans may be perceived as being "cold" or "distant" when in actuality it is just a matter of cultural difference.

**Práctica**

A. Escuchemos: Using the vocabulary in Chapter One, reply to the questions or expressions that you hear with appropriate phrases.

1. _____

2. _____

3. _____

4. _____

5. _____

B. Diálogo: La Dra. Ramírez de Losada and el señor Rodríguez are talking in her office. Fill in the blanks with appropriate dialogue.

Dra. de Losada:      ¿_____?

Señor Rodríguez:    Muy mal.

Dra. de Losada:      _____.

C. Gender and Articles: For each person noun, provide the opposite
gender. Make sure to include the correct article.

1. el enfermero  _____

2. la asistente social  _____

3. la psicóloga  _____

4. el hombre  _____

5. el niño  _____

6. la paciente  _____

7. el anestesista  _____

8. el doctor  _____

9. la dentista  _____

10. el señor  _____

D. Plural of Nouns: Make a plural noun singular and vice versa.
Don't forget to use the correct article.

1. el cirujano  _____

2. los termómetros  _____

3. un paciente  _____

4. una operación  _____

5. unos hospitales  _____

6. la dosis  _____

7. las narices  _____

8. las señoritas  _____

9. las recepciones  _____

10. la enfermera  _____

E. Conjugations: Fill in the blank with the correct conjugation of "ser."

Yo (1)_____ Rita. (2)_____ de Puerto Rico. Le presento a Sandra. Sandra (3)_____ de Chile. Nosotras (4)_____ paramédicas. Y usted, ¿de qué ciudad (5)_____?

F. Gender and Adjective Agreement: Patricia has had a concussion and is very confused. She is talking about the medical staff that is helping her but is getting the gender of all the people wrong. You must correct her by changing the gender of the person nouns (from masculine to feminine and vice versa) and by making adjective agreement as necessary.

1. El recepcionista es muy simpático.

_____

2. Las enfermeras son muy inteligentes.

_____

3. El doctor es muy guapo.

_____

4. Las paramédicas son muy jóvenes.

_____

5. El psicólogo es muy trabajador.

_____

# Capítulo 2

## Primera parte

| | |
|---|---|
| Enfermera: | —Buenas tardes. ¿Habla Ud. inglés? |
| Paciente: | —No, no hablo inglés. |
| Enfermera: | —Yo hablo un poco de español. ¿Cómo está Ud.? |
| Paciente: | —Más o menos. |
| Enfermera: | —Lo siento. Necesito información. ¿Cuál es su nombre y apellido? |
| Paciente: | —Mariana Fraser Molina. |
| Enfermera: | —¿Quién es su médico? |
| Paciente: | —Mi médico es el Dr. Herrera. |
| Enfermera: | —¿Cuántos años tiene usted? |
| Paciente: | —Tengo veintidós años. |
| Enfermera: | —¿Cuál es su compañía de seguros? |
| Paciente: | —Es Blue Cross. |
| Enfermera: | —Gracias. |
| Paciente: | —De nada. |

### Verbos que terminan en *-ar* (Verbs that end in -ar)

| | |
|---|---|
| ayudar a | *to help* |
| buscar | *to look for* |
| caminar | *to walk* |
| comprar | *to buy* |
| conversar | *to converse, to chat* |
| descansar | *to rest* |
| enseñar | *to teach* |
| escuchar | *to listen* |
| esperar | *to wait* |
| estudiar | *to study* |
| examinar | *to examine* |
| fumar | *to smoke* |
| hablar | *to speak, to talk* |

| | |
|---|---|
| lavar | *to wash* |
| limpiar | *to clean* |
| llamar | *to call* |
| llegar | *to arrive* |
| mirar | *to look at, to watch* |
| necesitar | *to need* |
| observar | *to observe* |
| palpar | *to feel, to palpate* |
| pesar | *to weigh* |
| preparar | *to prepare* |
| regresar | *to return* |
| tocar | *to touch* |
| tomar | *to take, to drink* |
| trabajar | *to work* |
| viajar | *to travel* |
| vomitar | *to vomit* |

## **Vocabulario relacionado** (*Related Vocabulary*)

| | |
|---|---|
| el archivo | *file* |
| la ayuda | *help* |
| la bebida (alcohólica) | *(alcoholic) drink* |
| la casa | *house, home* |
| el cigarrillo | *cigarette* |
| la comida | *food* |
| la droga | *illegal drug* |
| el español | *Spanish* |
| el inglés | *English* |
| el instrumento | *instrument* |
| la marihuana | *marijuana* |
| la medicina | *medicine* |
| la sala de espera | *waiting room* |
| el trabajo | *work* |
| con frecuencia | *frequently* |
| después (de) | *afterwards* |
| durante | *during* |
| mucho | *a lot* |
| muy | *very* |
| poco | *a little* |
| siempre | *always* |
| también | *also* |
| todos | *every, all* |
| todos los días | *every day* |

2-1 Match each word on the left with its logical match on the right.

1. _____ fumar          a. ayuda

2. _____ hablar         b. la comida

3. _____ necesitar      c. el hospital

4. _____ trabajar en    d. español

5. _____ vomitar        e. cigarrillos

2-2 Escuchemos: You will hear a series of nouns. For each, choose the verb that makes sense from the verbs listed below.

mirar      examinar      fumar      tomar      estudiar

1. _____

2. _____

3. _____

4. _____

5. _____

2-3 En pareja: With a partner, look at the drawings and choose the phrase that best expresses what is happening.

1. La Sra. de Rodríguez llama al doctor.

2. Ana María conversa con Juan.

3. Pablo fuma un cigarrillo.

4. Claudia prepara la comida.

5. El doctor examina al paciente.

_____

_____

_____

_____

_____

**El presente de los verbos *-ar*** *(The Present Tense of -ar Verbs)*

The infinitive of a verb is the non-conjugated verb form. In other words, it is the basic form of the verb before it is matched up with a subject. In English, infinitives start with the word *to*: to speak, to walk, to prepare. In Spanish, the word *to* is not used in the infinitive. Instead, the infinitive is expressed by means of a single word (*hablar, caminar, preparar*).

There are three groups of regular verbs in Spanish; each group is classified according to its infinitive ending: *-ar*, *-er*, or *-ir*. This lesson will teach you how to conjugate regular *-ar* verbs.

To conjugate a verb, you must first drop the infinitive ending. Then you take the stem of the verb and add the corresponding present-tense endings.

**Hablar** *(to speak)*

| yo | habl | + | **o** | nosotros/as | habl | + | **amos** |
| tú | habl | + | **as** | vosotros/as | habl | + | **áis** |
| él, ella, Ud. | habl | + | **a** | ellos, ellas, Uds. | habl | + | **an** |

You end up with:

| yo | hablo | nosotros/as | hablamos |
| tú | hablas | vosotros/as | habláis |
| él, ella, Ud. | habla | ellos, ellas, Uds. | hablan |

The stem (**habl**) tells the action, and the ending indicates who or what the subject is.

For example,

(Yo) hablo español.        I speak Spanish.

Because the ending indicates the subject, it is not always necessary to include the subject in a sentence; the conjugation ***hablo*** clearly indicates that the subject is *yo*. You may, however, include the subject for emphasis or clarification.

The Spanish present indicative tense, in addition to the simple present, can also express an on-going action or even an action that will occur in the near future.

(Yo) estudio español.        *I'm studying Spanish.*
(Yo) hablo con el médico mañana.        *I'm going to speak with the doctor tomorrow.*

2-4 La familia Rodríguez: Claudia is describing her family. Fill in the blank with the correct conjugation of the verb in parenthesis.

Mi papá y mi mamá (1)_____ (trabajar) todos los días. Los sábados y domingos, ellos (2)_____ (descansar). Pablo, mi hermano, es perezoso y siempre (3)_____ (mirar) televisión. Yo no soy perezosa, soy muy activa. Todos los días yo (4)_____ (estudiar) y (5)_____ (limpiar) la casa. Los viernes yo (6)_____ (escuchar) música y (7)_____ (conversar) con mi familia en casa. Nosotros no (8)_____ (hablar) inglés, y por eso (*therefore*) (9)_____ (necesitar) estudiar mucho. Y usted, ¿ (10)_____ (hablar) inglés?

2-5 Escuchemos: Doctor Santos Cruz is a very active man who works in a hospital. Listen to a general description of himself and of his job and then determine if the following sentences are True (<u>C</u>ierto) or False (<u>F</u>also).

1. _____ El Dr. Santos Cruz es antipático.

2. _____ Él no ayuda a los enfermeros.

3. _____ El Dr. Santos Cruz trabaja mucho.

4. _____ Después del trabajo él descansa.

2-6 En pareja: With a partner, discuss what the following people are doing, following the cues provided.

1. Jacinto _____ al doctor.

2. La enfermera _____ los instrumentos.

3. Los pacientes _____ afuera (*outside*).

4. El doctor _____ al paciente.

5. La señora _____ comida en el supermercado.

|  |  |  |  |  |
|---|---|---|---|---|
| 1 | 2 | 3 | 4 | 5 |

**Las preguntas *sí/no*** *(Yes/No Questions)*

There are two ways of forming a yes/no question in Spanish.

The first is to simply raise the intonation of a declarative sentence.

| | | |
|---|---|---|
| (Ud.) fuma. | *You smoke.* | (Declarative statement) |
| ¿(Ud.) fuma? | *Do you smoke?* | (Question) |

*Notice the inverted question mark.

The second is to invert the position of the subject and verb in the declarative statement.

| | | |
|---|---|---|
| (Ud.) fuma. | *You smoke.* | (Declarative statement) |
| ¿Fuma (Ud.)? | *Do you smoke?* | (Question) |

To answer the question in a positive manner simply say:

Sí, (yo) fumo.     *Yes, I smoke.*

To answer the question in a negative manner, simply place a *no* in front of the whole sentence, and one before the verb.

**No**, (yo) **no** fumo.     *No, I don't smoke.*

2-7 Preguntas y respuestas: Match the answers on the right to the questions on the left.

1. _____ ¿Ud. toma Vodka?              a. Sí, (yo) vomito todos los días.

2. _____ ¿Fuma cigarillos su padre?    b. No, (él) no habla inglés.

3. _____ ¿Uds. estudian español?       c. Sí, (nosotros) estudiamos español.

4. _____ ¿Vomita Ud. con frecuencia?   d. No, (yo) no tomo Vodka.

5. _____ ¿Su hijo habla inglés?        e. Sí, (él) fuma.

2-8 Escuchemos: Listen to the following questions and answer them according to your habits.

1. _____

2. _____

3. _____

4. _____

5. _____

2-9 En pareja: Following the cues provided, ask your partner about his/her habits. Then, switch roles.

Modelo:

Student # 1:    ¿Fuma (Ud.) cigarrillos?
Student # 2:    Sí (yo) fumo.

             or

        No, (yo) no fumo.

fumar cigarrillos / ayudar a los pacientes / preparar los instrumentos / trabajar en el hospital / estudiar español / llamar al doctor con frecuencia / caminar todos los días

## Segunda parte

Asistente social:    —¿Cuántos hijos tiene usted, señora?
Señora:    —Tengo cinco.
Asistente social:    —¿Cuál es su número de teléfono?
Señora:    —Es 910-345-8976
Asistente social:    —Muchas gracias.

### Palabras interrogativas *(Interrogative Words)*

¿Cómo?    *How?*
¿Cuál/es?    *Which, What?*
¿Cuándo?    *When?*
¿Cuánto/a?    *How much?*
¿Cuántos/as?    *How many?*
¿Dónde?    *Where?*
¿Por qué?    *Why?*
¿Qué?    *What? Which?*
¿Quién/es?    *Who?*

### Vocabulario relacionado *(Related Vocabulary)*

el apellido    *last name*
la aseguranza    *insurance*
la compañía    *company*
la dirección    *address*
la edad    *age*
el estado civil    *marital status*
la fecha de nacimiento    *date of birth*
el género    *gender*

| | |
|---|---|
| el nombre | *name* |
| la ocupación | *occupation* |
| la póliza | *policy* |
| el primer nombre | *first name* |
| el segundo nombre | *middle name* |
| el seguro | *insurance* |
| el seguro social | *social security* |
| el sexo | *gender* |
| el teléfono de casa | *home number* |
| el teléfono del trabajo | *work number* |
| casado/a | *married* |
| divorciado/a | *divorced* |
| soltero/a | *single* |
| viudo/a | *widowed* |

**Preguntas útiles** *(Useful Questions)*

Interrogative words are placed at the beginning of the question. Here are some examples of useful questions and answers:

| | |
|---|---|
| ¿Cómo se llama usted? | *What is your name?* |
| Me llamo… | *My name is…* |
| ¿Cuál es su nombre y apellido? | *What is your first and last name?* |
| Mi nombre y apellido es… | *My first and last name is…* |
| ¿Quién es su médico? | *Who is your doctor?* |
| Mi médico es… | *My doctor is…* |
| ¿Cuántos años tiene Ud.? | *How old are you?* |
| Tengo ___ años. | *I'm ___ years old.* |
| ¿Cuál es su fecha de nacimiento? | *What is your date of birth?* |
| El seis de junio de 1969. | *June 6th 1969.* |
| ¿Cuál es su número de seguro social? | *What is your social security number?* |
| Mi número es… | *My number  is…* |
| ¿Cuál es su estado civil? | *What is your marital status?* |
| (Soy) Casado/a | *(I am) Married.* |
| Soltero/a | *Single.* |
| Divorciado/a | *Divorced.* |
| Viudo/a | *Widowed.* |
| ¿Cuál es su dirección? | *What is your address?* |
| Mi dirección es… | *My address is…* |

| | |
|---|---|
| ¿Cuál es su número de teléfono? | *What is your telephone number?* |
| Mi número es… | *My number is…* |
| ¿Cuál es su compañía de seguros? | *Who is your insurance with?* |
| Mi compañía es… | *My company is…* |
| ¿Cuál es el número de su póliza? | *What is your policy number?* |
| Mi número es… | *My number is…* |
| ¿Cuál es su ocupación? | *What is your occupation?* |
| Soy… | *I am a…* |
| ¿Dónde trabaja usted? | *Where do you work?* |
| (Yo) trabajo en… | *I work at…* |
| ¿Quién es su contacto principal/secundario? | *Who is your primary/secondary contact?* |
| Mi contacto principal/secundario es… | *My primary/secondary contact is…* |

 2-10 En la recepción: Fill out the following chart with your information.

---

Primer y segundo nombre: _____

Apellido(s): _____

Edad: _____          Fecha de nacimiento: _____

Sexo:   M     F

Número de seguro social: _____

Estado civil:          _____ Soltero/a          _____ Casado/a

                       _____ Divorciado/a       _____ Viudo/a

Dirección: _____

_____

Teléfono de casa: _____  Teléfono del trabajo: _____

Compañía de seguros: _____

Número de póliza: _____

Ocupación: _____

Contacto principal: _____

Contacto secundario: _____

2-11 Escuchemos: Provide the information requested by the question that you hear.

1. _____

2. _____

3. _____

4. _____

5. _____

2-12 En pareja: Using the questions learned and the chart in exercise 2-9, obtain the necessary information from your partner. Then switch roles.

## La hora (*The Time*)

• In order to ask and tell time, Spanish uses the verb **ser**.

| | |
|---|---|
| ¿Qué hora es? | *What time is it?* |
| Es la una. | *It's one o'clock.* |
| Son las dos. | *It's two o'clock.* |

• To indicate that it is one o'clock, you must use the third-person singular form of **ser**, followed by the definite feminine singular article (**es la una**). All other hours use the plural form of **ser** and of the definite feminine article (**son las dos...**).

• To express minutes **past** the hour you must use the conjunction **y**.

| | |
|---|---|
| *Es la una **y** cinco.* | It's five past one. |
| *Son las dos **y** veinte.* | It's twenty past two. |

• To express minutes before an hour, you must use **menos**.

| | |
|---|---|
| Es la una **menos** diez. | *It's ten till one.* |
| Son las dos **menos** veinticinco. | *It's twenty-five till two.* |

• You may use **cuarto** interchangeably with quince, and **media** interchangeably with **treinta**.

| | |
|---|---|
| Son las cinco menos cuarto (quince). | *It's a quarter to five (It's fifteen till five).* |
| Son las cinco y media (treinta). | *It's half past five (It's five thirty).* |

• Because there is no such thing as A.M. and P.M. in Spanish, you may clarify the time of day by using: **de la mañana** (*in the morning*), **de la tarde** (*in the afternoon*), and **de la noche** (*at night*).

Son las ocho de la mañana.            *It's eight o'clock in the morning.*
Es la una de la tarde.                *It's one o'clock in the afternoon.*
Son las nueve de la noche.            *It's nine o'clock at night.*

• In order to express that it is noon or midnight, use the following expressions:

Es el mediodía.                       *It is noon.*
Es la medianoche.                     *It is midnight.*

• Military time is used in Spanish-speaking countries for schedules and other important time keeping.

• In order to ask at what time an event will take place you must use the question **¿A qué hora...?** To answer, use **a la(s)...**

**¿A qué** hora es la cita?            *At what time is the appointment?*
A **las** ocho y media de la mañana.   *At eight thirty in the morning.*
**A la** una de la tarde.              *At one o'clock in the afternoon.*

 2-13 ¿Qué hora es? Write the time in Spanish, indicating whether it is morning, afternoon, or night.

1. _____

2. _____

3. _____

4. _____

5. _____

2-14 Escuchemos: You will hear seven different times of the day in Spanish. Match the times that you hear with the times provided below by numbering them in the order said (from 1 to 7).

_____ 3:05 P.M.          _____ 12:35 P.M.
_____ 8:45 A.M.          _____ 4:20 A.M.
_____ 10:30 P.M.         _____ 12:00 PM
_____ 1:05 P.M.

2-15 En pareja: Following the cues provided, take turns asking each other and answering the question "**¿A qué hora es la cita?**"

Modelo:

(8:20 A.M.)
Student #1: ¿A qué hora es la cita?
Student #2: A las ocho y veinte de la mañana.

9:10 A.M. / 10:15 A.M. / 11:35 A.M. / 12:30 P.M. / 3:40 P.M. / 5:15 P.M. / 9:45 P.M. / 11: 55 P.M.

## Cultura:

All Hispanics have two last names. When a child is born, he/she will take his/her father's last name (apellido paterno) followed by his/her mother's maiden name (apellido materno). Claudia Rodríguez Suárez gets the "Rodríguez" from her father, and the "Suárez" from her mother. When a woman marries in Hispanic culture, she generally drops the maternal last name and attaches her husband's paternal last name using the preposition **de** (*of*). For example, if Claudia marries a man by the name of José Luis Álvarez Somosa, she becomes Claudia Rodríguez de Álvarez. She will oftentimes be referred to as **la señora de Álvarez**, but as Claudia Rodríguez as well. For filing purposes, the paternal last name should always be used, for both men and women. In other words, Claudia's name should always be filed under the "R" from Rodríguez and her husband's should be filed under the "A" from Álvarez.

## Práctica

A. Escuchemos: Answer the questions that you hear with complete sentences.

1. _____

2. _____

3. _____

4. _____

5. _____

B. Write a question for each answer provided.

1. ¿_____?

   Sí, yo estudio español.

2. ¿_____?

   No, yo no trabajo en el hospital.

3. ¿_____?

   Sí, yo ayudo a los pacientes.

4. ¿_____?

   No, mi hijo no fuma.

5. ¿_____?

   Sí, mi abuelo toma medicinas.

C. You need some information from a patient. Write the question for the answer provided.

1. ¿_____?

   Me llamo Susana Valladares Pérez.

2. ¿_____?

   Mi médico es el Dr. Herrera.

3. ¿_____?

   Soy soltera.

4. ¿_____?

   Mi dirección es 3806 Pinta Ct.

5. ¿_____?

   Mi número de teléfono es 919-361-9000.

6. ¿_____?

   Mi compañía es Blue Cross.

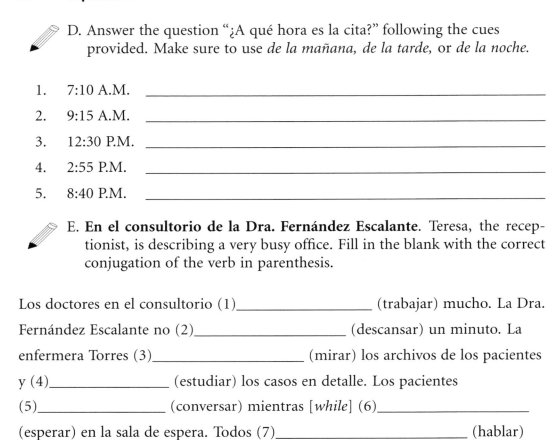

D. Answer the question "¿A qué hora es la cita?" following the cues provided. Make sure to use *de la mañana, de la tarde,* or *de la noche.*

1.  7:10 A.M.  _____

2.  9:15 A.M.  _____

3.  12:30 P.M.  _____

4.  2:55 P.M.  _____

5.  8:40 P.M.  _____

E. **En el consultorio de la Dra. Fernández Escalante**. Teresa, the receptionist, is describing a very busy office. Fill in the blank with the correct conjugation of the verb in parenthesis.

Los doctores en el consultorio (1)_____ (trabajar) mucho. La Dra.

Fernández Escalante no (2)_____ (descansar) un minuto. La

enfermera Torres (3)_____ (mirar) los archivos de los pacientes

y (4)_____ (estudiar) los casos en detalle. Los pacientes

(5)_____ (conversar) mientras [*while*] (6)_____

(esperar) en la sala de espera. Todos (7)_____ (hablar)

español. Todos los días la señora Galíndez (8)_____

(limpiar) el consultorio y (9)_____ (lavar) los uniformes de los

doctores.

# Capítulo **3**

## Primera parte

| | |
|---|---|
| Paciente: | —Buenas tardes, señor. ¿Dónde están los baños? |
| Enfermero: | —Están enfrente del departamento de hematología. Siga derecho y pase por la recepción. Después, doble a la izquierda en el pasillo. Los baños están a la derecha. |
| Paciente: | —Muchas gracias. |
| Enfermero: | —De nada. |

### Lugares en el hospital (*Places in the Hospital*)

| | |
|---|---|
| el ascensor* | *elevator* |
| los baños | *restrooms* |
| el café | *coffee shop or coffee* |
| la cafetería | *cafeteria* |
| la capilla | *chapel* |
| la clínica | *clinic* |
| la entrada | *entrance* |
| la escalera | *stairs* |
| la escalera mecánica | *escalator* |
| la estación de enfermeras | *nursing station* |
| el estacionamiento | *parking* |
| la farmacia | *pharmacy* |
| la habitación | *room* |
| el laboratorio | *laboratory* |
| la oficina de pagos | *billing office* |
| el pasillo | *hallway* |
| la recepción | *reception* |
| la sala de emergencia | *emergency room* |
| la sala de espera | *waiting room* |
| la sala de revisación | *exam room* |

---

* The Spanish of many immigrants has been highly influenced by English. Mexicans in North Carolina for example use the word "elevador" for elevator—this is not correct Spanish but is used often. There are many other words like this and you should train your ear to hear and understand them.

| | |
|---|---|
| la sala de operaciones | *operating room* |
| la sala de rayos X | *X-ray room* |
| la sala de recuperación | *recovery room* |
| la tienda de regalos | *gift shop* |
| la unidad de cuidado intensivo | *intensive care unit* |

**Departamentos** (*Departments*)

| | |
|---|---|
| el departamento de… | *department of…* |
| cardiología | *cardiology* |
| cirugía | *surgery* |
| dermatología | *dermatology* |
| ginecología | *gynecology* |
| hematología | *hematology* |
| mantenimiento | *housekeeping* |
| nefrología | *nephrology* |
| neurología | *neurology* |
| nutrición | *nutrition* |
| obstetricia | *obstetrics* |
| oftalmología | *ophthalmology* |
| oncología | *oncology* |
| ortopedia | *orthopedics* |
| otorrinolaringología | *otolaryngology* |
| pediatría | *pediatrics* |
| (p)siquiatría | *psychiatry* |
| rehabilitación | *rehabilitation* |
| seguridad | *security* |
| terapia física | *physical therapy* |

**¿Dónde está…?** (*Where is…*)

| | |
|---|---|
| Está… | *It is…* |
| a la derecha de | *to the right of* |
| a la izquierda de | *to the left of* |
| al lado de | *next to* |
| antes de | *before* |
| cerca de | *close to* |
| delante de | *in front of* |
| después de | *after* |
| detrás de | *behind* |
| enfrente de | *in front of, across from* |
| entre | *between* |
| lejos de | *far from* |

## Direcciones (*Directions*)

| | |
|---|---|
| baje | *go down* |
| doble a la derecha | *turn to the right* |
| doble a la izquierda | *turn to the left* |
| entre | *come in* |
| pare | *stop* |
| pase | *go by* |
| pase por | *go through* |
| siga | *keep going* |
| siga derecho | *keep going straight* |
| suba | *go up* |
| tome | *take* |

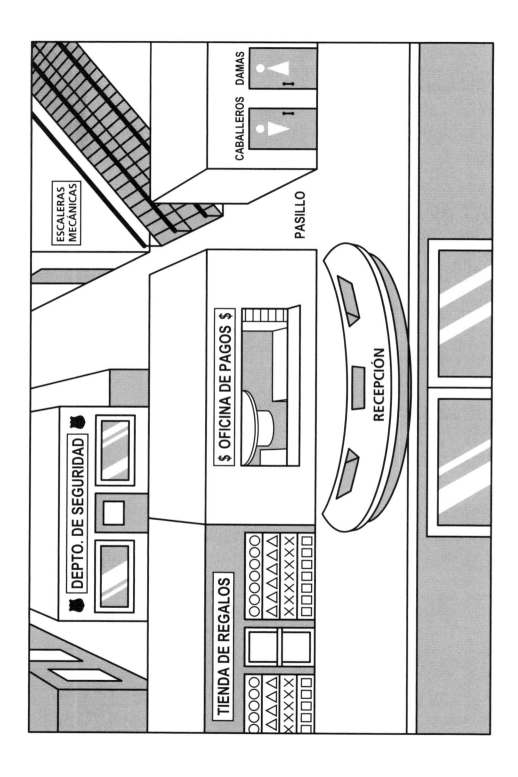

3-1 La planta baja: You are looking at a picture that illustrates the main floor of the hospital. You are describing the location of different hospital locales and departments to a patient on the telephone. The patient will be facing the reception desk as he arrives. Choose the vocabulary word that best fits the explanation.

1. Los baños están _____ (cerca de / lejos de) la escalera mecánica.

2. La tienda de regalos está _____ (a la izquierda de / a la derecha de) la oficina de pagos.

3. La oficina de pagos está _____ (detrás del / delante del) departamento de seguridad.

4. El departamento de seguridad está _____ (enfrente de / detrás de) la tienda de regalos.

5. El pasillo está _____ (entre / lejos de) la escalera mecánica y la oficina de pagos.

3-2 Escuchemos: Based on the description of the first floor of the hospital, fill in the blanks with vocabulary words from this chapter.

1. La farmacia está _____ de los ascensores.

2. El departamento de terapia física está _____ del departamento de ortopedia.

3. El departamento de ginecología está _____ del departamento de hematología.

4. El departamento de pediatría está _____ del departamento de otorrinolaringología.

5. Finalmente, los baños están _____ del departamento de mantenimiento.

3-3 En pareja: You will draw a rough sketch of the floor where you typically work. Then, using the vocabulary learned, describe it to your partner. Switch roles.

**Números ordinales** *(Ordinal Numbers)*

| | |
|---|---|
| primero/a | *first* |
| segundo/a | *second* |
| tercero/a | *third* |
| cuarto/a | *fourth* |
| quinto/a | *fifth* |
| sexto/a | *sixth* |
| séptimo/a | *seventh* |
| octavo/a | *eighth* |
| noveno/a | *ninth* |
| décimo/a | *tenth* |
| | |
| la planta | *floor* (in Spain) |
| el piso | *floor* (in Latin America) |

- Ordinal numbers agree in number and gender with the nouns that they modify.

  La unidad de cuidado intensivo está en la segunda planta.
  La unidad de cuidado intensivo está en el segundo piso.

- You must shorten **primero** and **tercero** to **primer** and **tercer** when placed before a masculine singular noun.

  La farmacia está en el **primer** piso.
  La habitación #302 está en el **tercer** piso.

- In the Hispanic world, the first floor is called **la planta baja**.

- After **décimo**, Hispanics use cardinal numbers.

  La cafetería está en el piso **once**.

3-4 La guía: Using the following guide, fill in the sentences with the missing information.

| | |
|---|---|
| La planta baja | recepción, mantenimiento |
| 1er. piso | farmacia, terapia física, ortopedia, ginecología, hematología, pediatría, otorrinolaringología, mantenimiento |
| 2do. piso | sala de operaciones, sala de recuperación, unidad de cuidado intensivo |
| 3er. piso | laboratorio, nefrología, cardiología, capilla, dermatología |
| 4to. piso | neurología, oncología, oftalmología, rehabilitación |
| 5to. piso | habitaciones, estación de enfermeras |

1. La recepción está en la _____.

2. El laboratorio está en el _____ piso.

3. El departamento de ginecología está en el _____ piso.

4. La unidad de cuidado intensivo está en el _____ piso.

5. El departamento de neurología está en el _____ piso.

6. El departamento de hematología está en el _____ piso.

7. La sala de operaciones está en el _____ piso.

8. La capilla está en el _____ piso.

9. El departamento de rehabilitación está en el _____ piso.

10. La estación de enfermeras está en el _____ piso.

3-5 Escuchemos: Based on the description that you hear, determine where the different departments are located. Match the floor with its corresponding departments.

| | |
|---|---|
| 1._____En el primer piso | a. La sala de operaciones, la sala de recuperación y la unidad de cuidado intensivo. |
| 2._____En el segundo piso | b. Las habitaciones y la estación de enfermeras. |
| 3._____En el tercer piso | c. La farmacia y los departamentos de terapia física, ortopedia, ginecología, hematología, pediatría, otorrinolaringología y mantenimiento. |
| 4._____En el cuarto piso | d. Los departamentos de neurología, oncología, oftalmología y rehabilitación. |
| 5._____En el quinto piso | e. El laboratorio, la capilla, y los departamentos de nefrología, cardiología y dermatología. |

 3-6 En pareja: Choose two places in the hospital and then direct your partner from one to the other. Then switch roles. A model is provided for you.

Desde la entrada principal hasta la sala de recuperación en el segundo piso.
*From the main entrance to the recovery room on the second floor.*

Entre por la entrada principal y doble a la derecha. Siga derecho. Doble a la izquierda en el pasillo. El pasillo está al lado de la escalera mecánica. Tome los ascensores al segundo piso. Salga de (*come out of*) los ascensores y doble a la izquierda. Siga derecho y pase por la sala de espera. La sala de recuperación está a la izquierda.

Now it's your turn…

**Los números 101–1000** (*Numbers 101–1000*)

| | |
|---|---|
| cien | 100 |
| ciento uno | 101 |
| doscientos/as | 200 |
| trescientos/as | 300 |

| cuatrocientos/as | 400 |
|---|---|
| quinientos/as | 500 |
| seiscientos/as | 600 |
| setecientos/as | 700 |
| ochocientos/as | 800 |
| novecientos/as | 900 |
| mil | 1000 |

• When numbers 200-900 precede a noun, they must agree in gender with it.

cuatroci**entos** treinta doctor**es**          cuatroci**entas** treinta doctor**as**.

• Hispanics use a period to indicate thousands and a coma to indicate decimals.

In the U.S.:     $2,000     In Spain and Latin America:     $2.000
                 $1.75                                      $1,75

3-7 ¡Contemos! Following the logical sequence, fill in the blank with the missing number.

1. cien, doscientos, _____, cuatrocientos

2. trescientos veinte, trescientos veintiuno, _____, trescientos veinte y tres

3. cuatrocientos, cuatrocientos uno, cuatrocientos dos, _____, cuatrocientos cuatro

4. quinientos sesenta y cinco, _____, quinientos sesenta y siete

5. ochocientos once, ochocientos doce, _____, ochocientos catorce

6. novecientos noventa y uno, novecientos noventa y dos, _____, novecientos noventa y cuatro

3-8 Escuchemos: Listen to a series of numbers and write down the numerical equivalent of what you hear.

For example, if you hear "ciento uno," you write <u>101</u>.

1. _____

2. _____

3. _____

4. _____

5. _____

6. _____

7. _____

8. _____

9. _____

10. _____

3-9 En pareja: With a partner, take turns counting aloud (from 100-1000) following the patterns provided.

1. even numbers from 100 to 200 (student #1)
2. odd numbers from 201 to 299 (student #2)
3. multiples of five from 300 to 500 (student #1)
4. multiples of ten from 500 to 1000 (student #2)

## Segunda parte

| Paciente: | —Buenas tardes, doctor. Estoy muy enfermo. |
| Doctor: | —Lo siento, señor. ¿Qué siente? |
| Paciente: | —Tengo fiebre. |
| Doctor: | —¿Tiene usted tos? |
| Paciente: | —Sí, tengo mucha tos. |

El doctor examina al paciente. El paciente tiene bronquitis.

**Estar...**          *(To be...)*

aburrido/a          *bored*
apurado/a           *in a hurry*
cansado/a           *tired*

| | |
|---|---|
| casado/a | *married* |
| confundido/a | *confused* |
| contento/a | *happy* |
| divorciado/a | *divorced* |
| enamorado/a | *in love* |
| enfadado/a | *angry (in Spain)* |
| enfermo/a | *sick* |
| enojado/a | *angry (in Latin America)* |
| herido/a | *wounded, injured* |
| inconsciente | *unconscious* |
| muerto/a | *dead* |
| nervioso/a | *nervous* |
| ocupado/a | *busy* |
| perdido/a | *lost* |
| preocupado/a | *worried* |
| tranquilo/a | *calm* |
| triste | *sad* |

 3-10 En el hospital: A lot of people in the hospital are not doing very well today. Explain what is wrong by matching each description with the corresponding drawing. Write in the letter of the logical description in the blank provided.

a. El paciente está inconsciente.
b. La paciente está herida.
c. El doctor está cansado.
d. El niño está enfermo.
e. La madre está preocupada.

_____    _____    _____    _____    _____

3-11 Escuchemos: You will hear five sentences describing the state of mind of five different people. Explain what is wrong by matching each description with the corresponding drawing. Number the picture that corresponds to the description.

—————    —————    —————    —————    —————

3-12 En pareja: Following the model and using the vocabulary in this section, describe to your partner how you feel right now. Then, switch roles.

Modelo: Estoy cansado y triste.

## El presente del verbo *estar* (The Present Tense of the Verb "to be")

The verbs "ser" and "estar" may cause some confusion to English speakers because they both translate into "to be." In Spanish, the context determines which one to use.

For now, remember that you have been using the verb *estar* to describe location and certain mental or physical conditions:

El laboratorio **está** al lado de la sala de espera. (Location)
El doctor **está** cansado. (Condition)

"Estar" like "ser" is an irregular verb and you must memorize its conjugation.

| | | | |
|---|---|---|---|
| yo | estoy | nosotros/as | estamos |
| tú | estás | vosotros/as | estáis |
| él, ella, Ud. | está | ellos, ellas, Uds. | están |

3-13 La familia Rodríguez: Many things are going on with the Rodríguez family today. Read Claudia's description and fill in each blank with the correct conjugation of *estar*.

Mi hermano Pablo (1)_____ enfermo. Mis padres

(2)_____ muy preocupados. Yo también (3)_____

preocupada. Mi hermano Juan (4)_____ muy triste porque no

(5)_____ aquí (*here*). Él y su esposa Ana María

(6)_____ de vacaciones. Y usted, ¿cómo (7)_____?

3-14 Escuchemos: A lot is happening at the hospital today. After hearing a series of descriptions, determine whether the following sentences are True (<u>C</u>ierto) or False (<u>F</u>also).

1._____ El Dr. Herrera está muy preocupado.

2._____ Los enfermeros están muy contentos.

3._____ El paciente está muerto.

4._____ La recepcionista está enamorada.

5._____ El novio de la recepcionista está contento.

6._____ El paciente del psicólogo está muy tranquilo.

3-15 En pareja: Using the vocabulary learned and the verb *estar*, explain to your partner how your family is doing. Follow the model provided and then switch roles. (Use your imagination).

Modelo: Mi hermana <u>está nerviosa</u>.

1. Yo _____

2. Mi hijo/a _____

3. Mi padre _____

4. Mi madre _____

5. Mis hermanos _____

6. Nosotros _____

48     **Capítulo 3**

**El presente del verbo tener** *(The Present Tense of the Verb "to have")*

The verb **tener** is irregular and you must therefore memorize its conjugation.

| yo | tengo | nosotros/as | tenemos |
|---|---|---|---|
| tú | tienes | vosotros/as | tenéis |
| él, ella, Ud. | tiene | ellos, ellas, Uds. | tienen |

• Like in English, this verb is used to express possession:

(Yo) **tengo** muchas citas este mes.　*I have a lot of appointments this month.*

¿**Tiene** (Ud.) el diccionario?　*Do you have the diccionary?*

• The verb **tener** is also used to express certain conditions.

| tener calor | *to be hot* |
|---|---|
| tener cuidado | *to be careful* |
| tener fiebre | *to have a fever* |
| tener frío | *to be cold* |
| tener gripe | *to have the flu* |
| tener hambre | *to be hungry* |
| tener miedo | *to be scared* |
| tener prisa | *to be in a hurry* |
| tener razón | *to be right* |
| tener sed | *to be thirsty* |
| tener sueño | *to be sleepy* |
| tener tos | *to have a cough* |
| tener un resfrío (or resfriado) | *to have a cold* |

¿**Tiene** Ud. frío?　Are you cold?
Sí, **tengo** frío.　Yes, I am cold.

• The verb **tener** is also used to express age

¿Cuántos años **tiene** Ud.?　*How old are you?*
(Yo) **tengo** 33 años.　*I am 33.*

 3-16 En el consultorio: A lot of patients are not feeling well today and are waiting to see Doctor Herrera. Fill in each blank with the correct conjugation of *tener*.

1. Juanito _____ un resfrío y

_____ fiebre. ¡Pobre Juanito!

2. Los padres de Juanito _____ miedo.

3. Las hermanas García también están enfermas. Marisol _____

   tos y Marifé _____mucho frío.

4. Yo no _____ frío. Al contrario, yo

   _____ mucho calor porque

   _____ fiebre.

5. Y usted, ¿ _____ fiebre?

🎧 3-17 Escuchemos: You will hear a series of descriptions. Number the
   picture that corresponds to the description.

_____    _____    _____    _____    _____

👥 3-18 En pareja: Following the cues provided, ascertain how your partner is
   feeling. At the end, ask his/her age. Then, switch roles. Follow the model.

Student #1:     —¿Tiene usted fiebre?
Student #2      —Sí, tengo fiebre.
                    or
                No, no tengo fiebre.

tener fiebre / tener calor / tener frío / tener miedo / tener sed / tener sueño /
tener tos / tener X años

**Cultura:**

**Attitudes of female and male Hispanic patients**

   Some Hispanic women, especially those who come from more traditional
and/or isolated regions, consider gynecological examinations to be immodest, and
therefore fear being examined by male doctors. Likewise, because of their sense of
modesty, these women may not perform self-breast exams, and oftentimes object
to mammographies and to visits to the obstetrician. Sometimes, the husband, fa-

ther, or brother will strongly object to such examinations if not performed by a female practitioner. In addition, the healthcare professional needs to keep in mind that such procedures are unfamiliar to Hispanics that may come from less-developed areas as they have limited access to doctors and technology.

Concerning methods of contraception and abortion, one must keep in mind that the Hispanic culture is mostly Catholic; therefore, families that adhere to more traditional values may not approve of either. You must keep these cultural differences in mind when discussing different options with Hispanic patients.

**Práctica:**

A. Escuchemos: Raúl Gómez-Masjuán is not feeling well today. Listen to a description of how he feels and then check the statements that apply.

_____ Está enfermo.

_____ Tiene un resfrío.

_____ Está contento y tranquilo.

_____ Tiene tos.

_____ Tiene calor.

_____ Tiene fiebre.

_____ Está cansado.

_____ Está triste.

_____ Está confundido y nervioso.

_____ Tiene gripe.

_____ Tiene frío.

B. Vocabulary: Match each situation on the left with the logical destination on the right. *Voy a* means "I go to."

_____ 1. Tengo hambre.                a. Voy a la farmacia.

_____ 2. Necesito antibióticos.         b. Voy a la sala de emergencia.

_____ 3. Tuve (*I had*) un accidente de auto.   c. Voy a la tienda de regalos.

_____ 4. Necesito orinar.              d. Voy al baño.

_____ 5. Necesito pagar la cuenta (*bill*).   e. Voy a la sala de rayos X.

_____ 6. Necesito comprar flores (*flowers*).    f. Voy a la cafetería.

_____ 7. Necesito un rayo X.    g. Voy a la oficina de pagos.

C. Location: Several people are waiting in line at the pharmacy. Look at the drawing and then fill in the blank with the appropriate expression of location.

ADELA   ARTURO   DANIEL   MARIELA

FARMACIA

1. Mariela está _____ (enfrente del/ detrás del) farmacéutico.

2. Daniel está _____ (lejos de / entre) Mariela y Arturo.

3. Adela está _____ (delante de /detrás de) Arturo.

4. Mariela está _____ (delante de / detrás de) Daniel.

D. For each illustration, explain what the person is feeling.

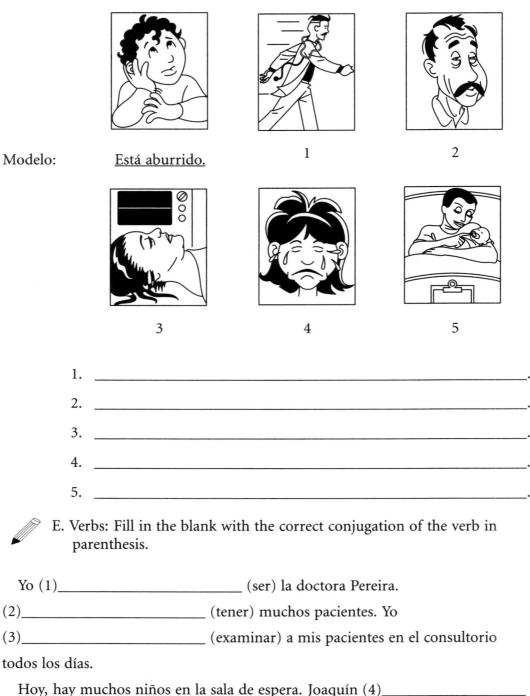

Modelo:        <u>Está aburrido.</u>

1.  _____.

2.  _____.

3.  _____.

4.  _____.

5.  _____.

E. Verbs: Fill in the blank with the correct conjugation of the verb in parenthesis.

Yo (1)_____ (ser) la doctora Pereira.

(2)_____ (tener) muchos pacientes. Yo

(3)_____ (examinar) a mis pacientes en el consultorio

todos los días.

Hoy, hay muchos niños en la sala de espera. Joaquín (4)_____

(tener) tos y (5)_____ (estar) muy cansado. Las gemelas

(*identical twins*) Álvarez (6)_____ (tener) un virus y la mamá

(7)_____ (estar) preocupada. La recepcionista (8)_____

(hablar) por teléfono con otro (*another*) paciente que (9)_____

(tener) gripe. ¡Qué desastre! Y usted, ¿ (10)_____ (estar) en-

fermo/a? ¿ (11)_____ (tener) usted problemas de salud?

# Capítulo 4

## Primera parte

| | |
|---|---|
| Recepcionista: | —Buenas tardes, señora. ¿Dónde vive Ud.? |
| Señora: | —Yo vivo en Durham, Carolina del Norte. |
| Recepcionista: | —¿Hace cuánto que vive en Durham? |
| Señora: | —Hace seis años. |
| Recepcionista: | —¿Tiene Ud. seguro con Blue Cross? |
| Señora: | —Sí, aquí está la tarjeta. |
| Recepcionista: | —¿Hace cuánto que tiene seguro con Blue Cross? |
| Señora: | —Hace dos años. |
| Recepcionista: | —Muy bien, gracias. Pase, por favor. |

### Verbos que terminan en *-er* e *-ir* (*Verbs that end in -er and -ir*)

| | |
|---|---|
| abrir | *to open* |
| aprender a (+ infinitive) | *to learn (how to do something)* |
| asistir a | *to attend* |
| beber | *to drink* |
| comer | *to eat* |
| comprender | *to understand* |
| correr | *to run* |
| creer | *to believe* |
| deber (+ infinitive) | *should; ought to (do something)* |
| decidir | *to decide* |
| discutir | *to discuss* |
| escribir | *to write* |
| existir | *to exist* |
| insistir en | *to insist* |
| leer | *to read* |
| recibir | *to receive* |
| subir | *to climb; to go up* |
| sufrir | *to suffer* |
| temer | *to fear* |
| vender | *to sell* |
| ver | *to see* |
| vivir | *to live* |

**Vocabulario relacionado** (*Related Vocabulary*)

beber (mucho) líquido          *to drink (a lot) of liquids*
comer galletas saladas         *to eat crackers*
discutir las posibilidades     *to discuss the possibilities*

bajar de peso                  *to lose weight*
subir de peso                  *to gain weight*

el aburrimiento                *boredom*
las escaleras                  *stairs*
la muerte                      *death*
la puerta                      *door*
la salud                       *health*

 4-1 Match each word on the left with its logical match on the right.

1. _____ beber            a. los Estados Unidos
2. _____ discutir         b. el diagnóstico con el médico
3. _____ sufrir de        c. el español
4. _____ comprender       d. mucho líquido
5. _____ vivir en         e. problemas de salud

 4-2 Escuchemos: You will hear a series of descriptions. Number the pictures below according to what you hear.

_____    _____    _____    _____    _____

 4-3 En pareja: Your partner has a lot of problems. Give him suggestions following the cues provided and the model.

Begin each recommendation with: *usted necesita (+ infinitive)*

Modelo:

Usted necesita beber mucho líquido.          *You need to drink a lot of liquids.*

Suggestions for student # 1:
beber líquido / comer más (*more*) / subir de peso / comprender el problema

Suggestions for student #2:
leer la información / discutir las posibilidades / decidir pronto (*soon*) / bajar de peso

**El presente de los verbos -*er* e -*ir*** (*The present tense of -er and -ir verbs*)

To conjugate an -er or -ir verb, you must first drop the infinitive ending. Then, you take the stem of the verb and add the corresponding present-tense endings.

For -er verbs such as *comer*:

| | | | |
|---|---|---|---|
| yo | com + **o** | nosotros/as | com + **emos** |
| tú | com + **es** | vosotros/as | com + **éis** |
| él, ella, Ud. | com + **e** | ellos, ellas, Uds. | com + **en** |

You end up with:

| | | | |
|---|---|---|---|
| yo | como | nosotros/as | comemos |
| tú | comes | vosotros/as | coméis |
| él, ella, Ud. | come | él, ella, Ud. | comen |

For -ir verbs such as *vivir*:

| | | | |
|---|---|---|---|
| yo | viv + **o** | nosotros/as | viv + **imos** |
| tú | viv + **es** | vosotros/as | viv + **ís** |
| él, ella, Ud. | viv + **e** | ellos, ellas, Uds. | viv + **en** |

You end up with:

| | | | |
|---|---|---|---|
| yo | vivo | nosotros/as | vivimos |
| tú | vives | vosotros/as | vivís |
| él, ella, Ud. | vive | ellos, ellas, Uds. | viven |

Notice that the endings for -er and -ir verbs are identical except for the first- and second-person plural conjugations.

 4-4 Hugo Castillo, a patient of Dr. Herrera, is recovering from the flu. He hasn't worked for five days and is very bored. Read his description and fill in the blank with the correct conjugation of the verb in parenthesis.

Estoy en casa y estoy muy aburrido. Mi esposa y yo (1)_____ (vivir) en Carolina del Norte. Hace cinco días que no trabajo. Por la mañana (2)_____ (comer) muy liviano [*light*] y (3)_____ (beber) jugo de naranja. Después (4)_____ (leer) el periódico (*newspaper*) y descanso.

Por la tarde, después de comer, mi esposa siempre (5)_____ (insistir) en que yo descanse más. Ella (6)_____ (temer) que me ponga peor y siempre dice: "Tú (7)_____ (creer) que estás bien, pero estás muy enfermo." ¡Qué aburrimiento! Y ustedes, cuando están enfermos, ¿(9)_____ (sufrir) de aburrimiento?

4-5 Escuchemos: Listen to the following questions, and answer them using complete and grammatically correct sentences.

Modelo:

| You will hear: | "¿Vende Ud. autos?" |
|---|---|
| You will write: | <u>No, no vendo autos.</u> |
| | Or |
| | <u>Sí, vendo autos.</u> |

1. _____

2. _____

3. _____

4. _____

5. _____

4-6 En pareja: With a partner, take turns asking each other about your habits. Follow the model and the cues provided.

Modelo
(vivir en Carolina del Norte)

| Student #1: | ¿Vive Ud. en Carolina del Norte? |
|---|---|
| Student #2: | Sí, vivo en Carolina del Norte. |
| | or |
| | No, no vivo en Carolina del Norte. |
| | Vivo en..........(place). |

asistir a una clase de español / comprender español / escribir en español / sufrir de ataques de pánico / comer mucho / beber cerveza / subir muchas escaleras / correr todos los días / usar drogas / temer la muerte / ??

**¿Hace cuánto?** (*How long have you…?*)

- In order to ask a patient "how long have you…," Hispanics use the expression "**¿Hace cuánto que?**" + the present tense of the main verb.

For example,

**¿Hace cuánto que** Ud. vive en Washington?
*How long have you lived in Washington?*

- To answer, use **"hace"** + period of time.

For example,

**Hace** tres años (que vivo en Washington).
*(I've lived in Washington) for three years.*

Here is some useful vocabulary:

| | |
|---|---|
| año(s) | *year(s)* |
| día(s) | *day(s)* |
| hora(s) | *hour(s)* |
| mes(es) | *month(s)* |
| minuto(s) | *minute(s)* |
| semana(s) | *week(s)* |

 4-7 Eugenio Silva Suárez and his wife are homeless. The homeless shelter has asked a doctor to come in because the couple is very sick. Look at the answers provided by Eugenio and come up with the questions.

1. ¿_____?
   Hace dos semanas (que tengo tos).

2. ¿_____?
   Hace tres días (que tengo fiebre).

3. ¿_____?
   Hace veinte años (que fumo).

4. ¿_____?

   Hace dos horas que mi esposa tiene frío.

5. ¿_____?

   Hace tres años (que vivimos en la calle).

4-8 Escuchemos: Lots of things are wrong with you. Following the cues provided, answer the questions that you hear.

1. (tres días)  _____

2. (un año)  _____

3. (una semana)  _____

4. (una semana)  _____

5. (veinte años)  _____

4-9 En pareja: You have a lot of problems. Following the cues provided, take turns asking each other "how long have you...". Use your imagination!

fumar cigarrillos / beber alcohol / tener tos / tener fiebre / estar enfermo/a / tener dolor (*pain*) / tener seguro con Blue Cross / trabajar en el hospital / ??

## Segunda parte

| | |
|---|---|
| La enfermera: | —Buenas tardes, señora. Bienvenida al departamento de ginecología. Yo soy la enfermera, me llamo Marisol. |
| La señora: | —Buenas tardes, Marisol. |
| La enfermera: | —¿Cómo está Ud.? |
| La señora: | —No muy bien. |
| La enfermera: | —Lo siento. Por favor, quítese la ropa, póngase la bata y acuéstese.<br>La doctora llega en un minuto. |
| La señora: | —Muy bien, gracias. |

**Mandatos** (*Commands*)

| | |
|---|---|
| Abra | *Open* |
| Acuéstese | *Lie down* |
| Agarre | *Grab or hold (onto something)* |
| Apriete | *Squeeze or press* |
| Ayude | *Help* |
| Beba | *Drink* |
| Cállese | *Be quiet* |
| Cálmese | *Calm down* |
| Coma | *Eat* |
| Cuídese | *Take care of yourself* |
| Deme | *Give me* |
| Descanse | *Rest* |
| Diga | *Say* |
| Dígame | *Tell me* |
| Doble | *Bend* |
| Empuje | *Push* |
| Enderezca | *Straighten* |
| Escuche | *Listen* |
| Escupa | *Spit* |
| Espere | *Wait* |
| Exhale | *Exhale* |
| Extienda | *Extend* |
| Firme (aquí) | *Sign (here)* |
| Induzca | *Induce* |
| Inhale | *Inhale* |
| Jale | *Pull* |
| Lave | *Wash* |
| Llame | *Call* |
| Levante | *Lift* |
| Levántese | *Get up* |
| Mantenga | *Hold (a breath for example)* |
| Mueva | *Move* |
| Orine | *Urinate* |
| Pare | *Stop* |
| Párese | *Stand up* |
| Pase | *Come in* |
| Ponga | *Put* |
| Póngase | *Put on* |
| Puje | *Push* |
| Quédese | *Stay* |

| | |
|---|---|
| Quite | *Remove* |
| Quítese | *Take off* |
| Relájese | *Relax* |
| Repita | *Repeat* |
| Respire | *Breathe* |
| Salte | *Hop* |
| Saque | *Put out (stick out, as in the tongue)* |
| Señale | *Point* |
| Siéntese | *Sit down* |
| Sígame | *Follow me* |
| Sople | *Blow* |
| Tenga cuidado | *Be careful* |
| Tome | *Take* |
| Trague | *Swallow* |
| Traiga | *Bring* |
| Vaya | *Go* |
| Venga (aquí) | *Come (here)* |
| Voltéese | *Turn over* |

## Vocabulario relacionado (*Related vocabulary*)

| | |
|---|---|
| el brazo | *arm* |
| el dedo | *finger* |
| la lengua | *tongue* |
| la mano | *hand* |
| la bata | *gown* |
| la comida | *food* |
| el líquido | *liquid* |
| la medicina | *medicine* |
| la píldora | *pill* |
| la respiración | *respiration or breath* |
| la ropa | *clothes* |
| el vómito | *vomit* |

## Mandatos (*Commands*)

When you tell somebody what to do, you are giving them a command. In this chapter, you will learn how to form *Ud.* commands.

- In order to form a command you must first take the verb and put it in the **yo** form. Then, you drop the -**o** and add the corresponding ending. For -**ar** verbs you add -**e**, and for -**er** and -**ir** verbs you add -**a**.

|            | *Yo* form | Stem | Ending Added |
|------------|-----------|------|--------------|
| ayudar (*to help*) | Yo ayudo | ayud- | ayud**e** |
| comer (*to eat*) | Yo como | com- | com**a** |
| asistir (*to assist, to attend*) | Yo asisto | asist- | asist**a** |

If a verb is stem-changing (see appendix), or irregular, the irregularity carries over to the command. This is the reason why you need to put the verb in the *yo* form first.

For example, the verb *apretar* is stem-changing:

|            | *Yo* form | Stem | Ending Added |
|------------|-----------|------|--------------|
| Apretar (*to squeeze or press*) | Yo apr**ie**to | apriet- | apr**iete** |

•     You have probably noticed that some commands on your vocabulary list have an *-se* at the end. This ending indicates a reflexive verb. There are many reflexive verbs in Spanish. For practical reasons, we suggest that you memorize the commands containing the *-se*.

 4-10 Match the commands on the left with the logical words on the right.

1. _____ Traiga      a. la respiración

2. _____ Quítese      b. la tarjeta del seguro.

3. _____ Tome      c. el brazo

4. _____ Mantenga      d. la ropa

5. _____ Extienda      e. la píldora

 4-11 Escuchemos: Listen to a series of commands and act them out.

4-12 En pareja: Now it's your turn. First, choose five commands. Then choose a partner and tell him/her what to do. He/she is going to act out the commands. Then switch roles.

## Ser vs. Estar

You have been using the verbs *ser* and *estar* all along. These verbs are confusing to English speakers because they both translate into English as "to be." In Spanish, you use one or the other according to the context.

Uses of *ser*

1. *Ser* is used to express nationality and occupation.

> Cecilia **es** cubana.
> Guillermo **es** enfermero.

2. *Ser* is used to express time.

> **Son** las once de la mañana.

3. *Ser* is used with adjectives that describe inherent qualities or characteristics.

> ¿Cómo **es** el doctor Julio Herrera?
> Julio Herrera **es** inteligente y simpático.

Uses of *estar*

1. Estar is used to indicate location.

> La farmacia **está** en el primer piso.

2. *Estar* is used with adjectives that describe conditions.

> ¿Cómo **está** Ud?
> Yo **estoy** enfermo/a.

 4-13 Read the description of Dr. Saavedra's clinic and fill in the blanks with either *ser* or *estar* as appropriate.

El señor Saavedra (1)_____ doctor. Él (2)_____
argentino pero ahora (3)_____ en los Estados Unidos. Su
clínica (4)_____ en Texas. Él (5)_____ inteligente, simpático y muy guapo. Hoy (6)_____ muy ocupado
porque muchos pacientes (7)_____ enfermos.

4-14 Escuchemos: Listen to the following questions and answer them with complete and grammatically correct sentences.

1. _____
2. _____
3. _____
4. _____
5. _____

4-15 En pareja: Ask your partner the following questions and listen to his/her answers. Then, switch roles.

1. ¿De dónde es Ud.?
2. ¿Cómo está Ud.?
3. ¿Cómo son los estudiantes de la clase de español?
4. ¿Está Ud. aburrido/a?
5. ¿Está Ud. cansado/a?
6. ¿Es Ud. enfermero/a?
7. ¿Está Ud. enfermo/a?
8. ¿Está Ud. muy ocupado/a?

**Cultura:**

**Death in the Hispanic Culture**

Because of their religious beliefs, Hispanics like to have a priest present if a loved one is dying. Hispanics are not as reserved as many Anglo-Saxon Americans and express their grief crying openly in front of others at "el velorio" and the funeral. "El velorio" is a vigil (or wake) with the body that takes place the night before the burial. Family and friends eat very little during this vigil. Unlike most Anglo-Saxons, it is very common for Hispanics to bury the body within twenty-four hours, therefore shortening the time between death and burial. After the death of a friend or family member, the older generation of Hispanics often wears black for various lengths of time to show respect—this is called "estar de luto" (*to be in mourning*).

**Práctica:**

 A. Escuchemos: Answer the questions that you hear using complete and grammatically correct sentences.

1. _____

2. _____

3. _____

4. _____

5. _____

B. En la clase de español: Fill in the blank with the correct conjugation of the verb in parenthesis.

Nosotros (1) _____ (ser) los estudiantes de la clase de español. Todos los días nosotros (2) _____ (leer) el libro. La profesora (3) _____ (ser) muy buena. Ella siempre (4) _____(ayudar) a los estudiantes. Sandra, la estudiante francesa, (5) _____ (comprender) el español muy bien. Yo no (6) _____ (comprender) mucho pero (7) _____ (asistir) a clase siempre y trato (*I try*). Y usted, ¿ (8)_____ (comprender) el español?

C. Preguntas personales: Answer the following questions.

1.  ¿Estudia Ud. español?

_____

2.  ¿Hace cuánto que estudia español?

_____

3.  ¿Cuál es su ocupación?

_____

4.  ¿Qué hora es?

_____

5.  ¿Cómo es su profesor/a de español?

_____

6.  ¿Cómo está Ud.?

_____

D. You will see pictures of patients following directions. Guess what command the doctor or nurse has just given them.

| 1 | 2 | 3 | 4 | 5 |

1. _____

2. _____

3. _____

4. _____

5. _____

# Capítulo 5

## Primera parte

| | |
|---|---|
| Paciente: | —¡Ay doctor! Me duele mucho el estómago. |
| Doctor: | —¿Dónde le duele? |
| Paciente: | —Me duele aquí, en la boca del estómago. |
| Doctor: | —A ver. Acuéstese y levántese la camisa. Sí, tiene una gastritis aguda. Le voy a recetar una píldora para reducir la acidez. |
| Paciente: | —Muchas gracias, doctor. |

**Las partes del cuerpo** (*Anatomical Parts of the Body*)

| | |
|---|---|
| el abdomen | *abdomen* |
| las amígdalas | *tonsils* |
| el apéndice | *appendix* |
| la arteria | *artery* |
| la axila | *armpit* |
| la barbilla | *chin* |
| la boca | *mouth* |
| el brazo | *arm* |
| la cabeza | *head* |
| la cadera | *hip* |
| la canilla | *shin* |
| la cara | *face* |
| el cerebro | *brain* |
| la cintura | *waist* |
| la clavícula | *collarbone* |
| la columna vertebral | *spine* |
| el codo | *elbow* |
| el corazón | *heart* |
| la costilla | *rib* |
| la coyuntura | *joint* |
| el cuello | *neck* |
| el cuerpo | *body* |
| el dedo | *finger* |

| | |
|---|---|
| el dedo del pie | *toe* |
| el dedo gordo | *thumb* |
| el diente | *tooth* |
| la espalda | *back* |
| el estómago | *stomach* |
| la garganta | *throat* |
| la glándula | *gland* |
| el hígado | *liver* |
| el hombro | *shoulder* |
| el hueso | *bone* |
| los intestinos | *intestines* |
| el labio | *lip* |
| la lengua | *tongue* |
| la mandíbula | *jaw* |
| la mano | *hand* |
| la matriz | *womb, pelvic area* |
| la mejilla | *cheek* |
| la muela | *molar* |
| la muñeca | *wrist* |
| el músculo | *muscle* |
| el muslo | *thigh* |
| la nariz | *nose* |
| el nervio | *nerve* |
| el oído | *inner ear or hearing* |
| el ojo | *eye* |
| la oreja | *ear* |
| la pantorrilla | *calf* |
| el pecho | *chest or breast* |
| el pelo | *hair* |
| el pene | *penis* |
| la piel | *skin* |
| la pierna | *leg* |
| el pulmón | *lung* |
| el pulgar | *thumb* |
| el riñón | *kidney* |
| la rodilla | *knee* |
| la sangre | *blood* |
| los senos | *breasts* |
| el sobaco | *armpit* |
| el talón | *heel* |
| el tobillo | *ankle* |
| el útero | *uterus* |

| | |
|---|---|
| la vagina | *vagina* |
| la vena | *vein* |
| la vejiga | *bladder* |
| la vesícula biliar | *gall bladder* |

 5-1 Las partes del cuerpo: For each blank, fill in the corresponding name of the body part.

Modelo: 1. <u>La cabeza</u>

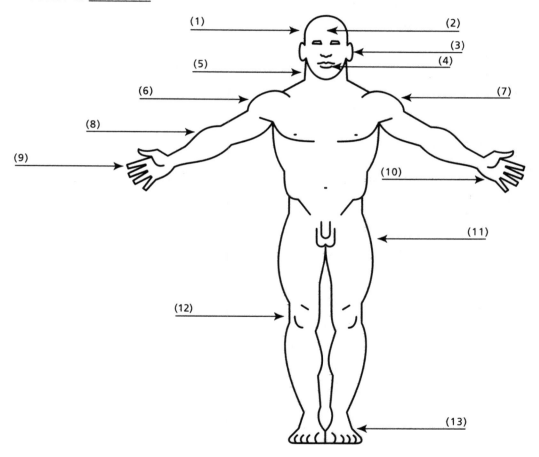

🎧 5-2 Escuchemos: You will hear a series of body parts. As you hear each, point to your own body.

👥 5-3 En pareja: Following the model and the cues provided, ask your partner if the different body parts hurt. Then, switch roles.

Modelo:   ¿Le duele <u>la cabeza?</u>   *Does your <u>head</u> hurt?*

Sí, me duele.   *Yes, it hurts*
                          or
No, no me duele.   *No, it doesn't hurt*

la cabeza / el estómago / la espalda / la cadera / el pie / el brazo / el cuello / la rodilla / ??

## Los pronombres de objeto indirecto y el verbo "doler"
*(Indirect Object Pronouns and the Verb "doler")*

When a speaker indicates for whom, or to whom, an action is carried out, he/she must use an indirect object pronoun. For example,

(Yo) <u>le</u> explico la receta a mi paciente. *I explain the prescription to my patient.*

"Le" is the indirect object pronoun that corresponds to the indirect object "to my patient."

The indirect object is the part of the sentence that answers the question "to whom?" or "for whom?" plus the verb. In other words, I explain the prescription "to whom?" to my patient. "To my patient" is my indirect object.

In Spanish, every time you have an indirect object (implied or stated) you must have an indirect object pronoun to correspond to it. In English you would either state the indirect object: "I explain the prescription to my patient" or the indirect object pronoun "I explain <u>her</u> the prescription." But in Spanish you may use both in the same sentence (a redundancy that does not exist in English), or you may leave out the indirect object. However, you must always use an indirect object pronoun.

You may say:

(Yo) <u>le</u> explico la receta a mi paciente.

Or you can leave out the indirect object if the context has been established:

(Yo) le explico la receta.

Here are the indirect object pronouns:

| SINGULAR | | PLURAL | |
|---|---|---|---|
| me | (to/for) *me* | nos | (to/for) *us* |
| te | (to/for) *you (inf.)* | os | (to/for) *you (Spain)* |
| le | (to/for) *him, her, you (form.)* | les | (to/for) *them, you (Latin America)* |

"Doler" is a verb that, in Spanish, uses indirect object pronouns. For example,

<u>Me</u> duele la espalda.     *My back hurts.*
<u>Me</u> duel<u>en</u> las piernas.     *My legs hurt.*

Literally, these sentences may be translated as:

The back is painful <u>to me</u>.
The legs are painful <u>to me</u>.

"To me" is an indirect object, and the part of the body is the subject. Therefore, you need an indirect object pronoun, and subject-verb agreement; you must use "duele" if the part of the body is singular, and "duel<u>en</u>" if you are speaking of plural parts of the body. Furthermore, notice that in Spanish, with "doler," you must use the definite article in front of the body part and not the possessive adjective.

Remember that "doler" is a stem-changing verb (see appendix).

5-4 Pronombres de objeto indirecto: Fill in the blank with the corresponding indirect object pronoun.

1. ¿(Ud.) _____ explica la receta (a mí)?

2. Sí, (yo) _____ explico la receta (a usted).

3. El doctor _____ explica la receta (al paciente).

4. El farmacéutico _____ explica la receta (a nosotros).

5. El doctor _____ explica el problema (a ustedes).

6. El cirujano _____ explica la cirugía (a los Gómez).

5-5 Escuchemos: Your whole body hurts today. Listen to the doctor's questions, and answer them affirmatively. For example:

You will hear: ¿Le duele la cabeza?
You will write: Sí, me duele.

1. _____

2. _____

3. _____

4. _____

5. _____

5-6 En pareja: A patient that speaks no English has just arrived at the emergency room. He/she appears to be in a lot of pain. One of you will be the nurse, and the other the patient. It is up to the nurse to ascertainwhere the pain is. Be creative and review the material studied so far (introduce yourself, ask the patient how he/she is doing, ask him/her if he/she smokes, drinks etc., and conclude by asking him/her if different parts of the body hurt).

## Segunda parte

| | |
|---|---|
| Señora de Álvarez: | —Señorita, necesito hablar con el doctor. Estoy enferma. |
| Enfermera: | —¿Qué tiene? |
| Señora de Álvarez: | —Hace cinco días que tengo diarrea. |
| Enfermera: | —¿Tiene dolor de estómago? |
| Señora de Álvarez: | —Sí, mucho. |
| Enfermera: | —¿Tiene escalofríos? |
| Señora de Álvarez: | —Sí. |
| Enfermera: | —Bueno, siéntese. El médico va a llegar pronto. |

### Enfermedades y condiciones (*Illnesses and Conditions*)

| | |
|---|---|
| la acedia/acidez | *heartburn* |
| la alergia | *allergy* |
| la presión alta | *high blood pressure* |
| la amigdalitis | *tonsillitis* |
| la anemia | *anemia* |
| la apendicitis | *appendicitis* |
| la artritis | *arthritis* |
| el asma | *asthma* |
| el ataque | *attack* |
| el ataque cardíaco/al corazón | *heart attack* |
| el ataque cerebral | *stroke* |
| el ataque de epilepsia | *epileptic attack* |
| el ataque de nervios | *nervous breakdown* |
| el ataque de pánico | *panic attack* |
| la bronquitis | *bronchitis* |
| el cáncer | *cancer* |
| el cerebro | *brain* |
| el coágulo | *blood clot* |
| el cólico | *colic* |

| | |
|---|---|
| la congestión | congestion |
| la convulsión | convulsion; seizure |
| la depresión | depression |
| la diabetes | diabetes |
| la diarrea | diarrhea |
| el dolor al orinar | dysuria |
| el dolor de estómago | stomach ache |
| el embarazo | pregnancy |
| la encefalitis | encephalitis |
| el estreñimiento | constipation |
| la fatiga | fatigue |
| la fiebre tifoidea | typhoid fever |
| la fractura | fracture |
| la gonorrea | gonorrhea |
| la gripe | flu |
| la hemorragia | hemorrhage |
| la hepatitis | hepatitis |
| el herpes | herpes |
| la hipertensión | hypertension |
| la infección | infection |
| la influenza | influenza |
| la laringitis | laryngitis |
| la malaria | malaria |
| la náusea | nausea |
| la neumonía | pneumonia |
| las paperas | mumps |
| la parálisis | paralysis |
| la polio | polio |
| la pulmonía | pneumonia |
| el resfrío/resfriado | cold |
| el reumatismo | rheumatism |
| las ronchas | hives |
| la rubéola | German measles, rubella |
| el sarampión | measles |
| el SIDA | AIDS |
| la sífilis | syphilis |
| la sinusitis | sinusitis |
| la tuberculosis | tuberculosis |
| la úlcera | ulcer |
| la varicela | chicken pox |
| el vértigo | vertigo |
| el VIH | HIV |

| | |
|---|---|
| la viruela | *smallpox* |
| el virus | *virus* |
| la vitamina | *vitamin* |
| el vértigo | *dizziness* |

## Vocabulario relacionado (*Related vocabulary*)

| | |
|---|---|
| la ampolla | *blister* |
| el bulto | *bump or swelling* |
| los escalofríos | *chills* |
| la fiebre | *fever* |
| la hinchazón | *swelling* |
| el mareo | *dizziness* |
| la respiración | *breathing* |
| la tos | *cough* |
| el tumor | *tumor* |

## Las recetas (*Prescriptions*)

| | |
|---|---|
| el analgésico | *analgesic* |
| el antiácido | *antacid* |
| el antibiótico | *antibiotic* |
| el anticonceptivo | *contraceptive* |
| la aspirina | *aspirin* |
| el descongestionante | *decongestant* |
| la gota | *drop* |
| la inyección | *injection* |
| el jarabe | *cough syrup* |
| el laxante | *laxative* |
| el narcótico | *narcotic* |
| la nitroglicerina | *nitroglycerin* |
| la pastilla | *pill* |
| la penicilina | *penicillin* |
| la píldora | *pill* |
| el sedante/sedativo | *sedative* |
| el supositorio | *suppository* |
| la tableta | *tablet* |
| el ungüento | *ointment* |

5-7 Las enfermedades y los síntomas: Under each symptom, list the different diseases that may cause it.

| Ampollas | Dolor en los huesos | Problemas con la respiración |
|---|---|---|
| _____ | _____ | _____ |
| _____ | _____ | _____ |
| _____ | _____ | _____ |

| Convulsiones | Fiebre | Tos |
|---|---|---|
| _____ | _____ | _____ |
| _____ | _____ | _____ |
| _____ | _____ | _____ |

| Tumores/Bultos | Escalofríos | Náuseas |
|---|---|---|
| _____ | _____ | _____ |
| _____ | _____ | _____ |
| _____ | _____ | _____ |

 5-8 Escuchemos: Based on what you hear, determine what the following people have by circling the correct choice.

1. a. asma     b. tuberculosis     c. amigdalitis     d. herpes
2. a. anemia     b. artritis     c. viruela     d. laringitis
3. a. amigdalitis     b. apendicitis     c. una fractura     d. gonorrea
4. a. neumonía     b. una úlcera     c. vértigo     d. convulsiones

5-9 En pareja: A very sick patient has just arrived at your office. With a partner do the following:

1. Determine the symptoms before you begin.
2. Introduce yourselves.
3. Ascertain what is wrong with the patient by asking him/her if he/she suffers from different symptoms.

Be creative and use vocabulary and grammar studied throughout the course.

**Para recetar** (*How to Prescribe*)

| | |
|---|---|
| Tome una píldora tres veces por día. | *Take one pill three times a day.* |
| Use un supositorio una vez por día. | *Use one suppository one time per day.* |
| Tome dos aspirinas cada seis horas. | *Take two aspirins every six hours.* |
| Tome dos cucharadas de jarabe cada cuatro horas. | *Take two tablespoons of cough syrup every four hours.* |

 5-10 La receta: Following the cues provided, prescribe the following:

1. one antacid four times per day

_____

2. two pills two times per day

_____

3. four drops three times per day

_____

4. one tablet every six hours

_____

5. one suppository every eight hours

_____

6. one tablespoon of cough syrup every four hours

_____

5-11 Escuchemos: According to what you hear, match each prescription with the corresponding person.

_____ 1. Antonio    a. una tableta de penicilina cada seis horas
_____ 2. Sandra    b. un laxante tres veces por día
_____ 3. Pedro    e. dos gotas cada seis horas
_____ 4. Ricardo    c. ungüento dos veces por día
_____ 5. Susana    d. una pastilla anticonceptiva una vez por día

 5-12 En pareja: You are a nurse speaking with a patient about his/her illness. He/She does not understand how often he/she needs to take the medicine nor how much he/she needs to take. Instruct him/her as to the proper dosage. Then, switch roles, changing the prescription.

**El futuro** (*The Future*)

There are two ways to express the future tense in Spanish. The easiest way is to use the verb "ir" (*to go*) as the auxiliary verb, followed by "a", and then by the infinitive of the main verb.

For example,

Mañana (yo) voy a trabajar.          *Tomorrow I'm going to work.*
El doctor le va a explicar la receta.   *The doctor is going to explain the prescription to you.*

The verb "ir" is irregular and you have to memorize its conjugation. It is conjugated as follows:

| yo | voy | nosotros/as | vamos |
| tú | vas | vosotros/as | vais |
| él, ella, Ud. | va | ellos, ellas, Uds. | van |

 5-13 Las actividades: Using the verbs learned so far, explain what you and the different members of your family are going to do tomorrow.

1. Yo _____

2. Mi padre _____

3. Mi madre _____

4. Mis hermanos y yo _____

5. Mis abuelos _____

5-14 Escuchemos: Juan Carlos Pernigotti, a nurse, has a lot to do and is getting organized. According to what you hear, number the activities in chronological order as Juan Carlos intends to perform them.

_____ Le va a explicar el problema al paciente.
_____ Le va a explicar la receta al paciente.
_____ Va a examinar al paciente.
_____ Le va a dar una inyección al paciente.

5-15 En pareja: What are you going to do at work and at home tomorrow? Using the future tense, discuss your plans with a partner.

**Cultura:**

**Roles of hospital care workers, pharmacists and "curanderos"** [*folk healers*]

When a Latino is hospitalized, it is not uncommon for the entire family to take turns staying with the patient and taking care of him/her. It is important to consider that family members have a tendency to ask for assistance from the nurse only for medical treatment. In most cases, Hispanics are used to seeking out the doctor, not the nurse, for diagnosis, care, and prognosis. Nurses should not interpret this attitude as one of disrespect.

Since many medicines, including antibiotics, do not require a prescription in the Hispanic world, patients will often consult with the pharmacist who will make diagnoses and prescribe medications in less serious cases. Pharmacists are very knowledgeable on the latest medicines and can save the patient a trip to the doctor.

South American Indians and Hispanics who come from small towns or urban regions in Latin America, often use home remedies that have been handed down from generation to generation by their elders or "curanderos." Many of these medicines consist of herbal teas and extracts from plants. While Eurasian health professionals are familiar with a very limited number of these plants, Indo-American "curanderos" know hundreds of them and use them for healing both body and mind. In Perú, for example, these healers are called "chamanes" [shamans]; chamanes are poets, prophets, and intellectual leaders who typically live and work in the forest or desert.

**Práctica**

 A. Answer the following questions.

1. ¿A usted le duele el pecho?

Sí, _____

2. ¿A su esposo le duele una muela?

No, no _____

3. ¿Les duele la garganta a sus hijos?

Sí, _____

4. ¿A ustedes les duelen los músculos?

No, no _____

5. ¿Le duelen los pies a usted?

Sí, _____

B. For each condition write at least three possible symptoms.

1. La gripe:

_____

_____

_____

2. Un virus intestinal:

_____

_____

_____

3. El SIDA:

_____

_____

_____

4. La pulmonía:

_____

_____

_____

5. La encefalitis:

_____

_____

_____

C. Choose three conditions or diseases. Then, provide an appropriate prescription for each.

| Enfermedad/Condición | Receta |
|---|---|
| 1. _____ | _____ |
| 2. _____ | _____ |
| 3. _____ | _____ |

D. Fill in the blank with the future tense (ir + a) of the verb in parenthesis.

El Dr. Ferrera tiene un paciente muy enfermo. Primero, él (1)_____ (examinar) al paciente. Le (2)_____ (tomar) la temperatura y la presión arterial. Después, le (3)_____ (explicar) el problema. Le (4)_____ (dar) una inyección y le (5)_____ (sacar) sangre. Finalmente, le va a (6)_____ (dar) la receta. El paciente (7)_____ (guardar) cama por cinco días.

# Glossary
## (Spanish to English)

### A

| | |
|---|---|
| A sus órdenes | at your service |
| el abdomen | abdomen |
| Abra | Open |
| abril | April |
| abrir | to open |
| el/la abuelo/a | grandfather/grandmother |
| aburrido/a | bored |
| el aburrimiento | boredom |
| la acedia/acidez | heartburn |
| Acuéstese | Lie down |
| adiós | good-bye |
| Agarre | Grab, Hold |
| agosto | August |
| el/la ahijado/a | godson/goddaughter |
| la alergia | allergy |
| alto/a | tall |
| amable | kind |
| las amígdalas | tonsils |
| la amigdalitis | tonsillitis |
| la ampolla | blister, ampoule |
| el analgésico | analgesic |
| la anemia | anemia |
| el/la anestesista | anesthetist |
| antes de | before |
| el antiácido | antacid |
| el antibiótico | antibiotic |
| el anticonceptivo | contraceptive |
| antipático/a | mean |
| el año(s) | year(s) |
| el apellido | last name |

| | |
|---|---|
| el apéndice | appendix |
| la apendicitis | appendicitis |
| aprender a (+ infinitive) | to learn (how to do something) |
| Apriete | Squeeze, Press |
| apurado/a | in a hurry |
| el archivo | file |
| argentino/a | Argentine |
| la arteria | artery |
| la artritis | arthritis |
| el ascensor | elevator |
| la aseguranza | insurance |
| el/la asistente social | social worker |
| asistir a | to attend |
| el asma | asthma |
| la aspirina | aspirin |
| el ataque | attack |
| el ataque cardíaco/al corazón | heart attack |
| el ataque cerebral | stroke |
| el ataque de epilepsia | epileptic attack or seizure |
| el ataque de nervios | nervous breakdown |
| el ataque de pánico | panic attack |
| el/la auxiliar médico/a | physician assistant |
| la axila | armpit |
| la ayuda | help |
| ayudar a | to help |
| Ayude | Help |

## B

| | |
|---|---|
| bajar de peso | to lose weight |
| Baje | Go down |
| bajo/a | short |
| el baño | bathroom |
| los baños | restrooms |
| la barbilla | chin |
| la bata | gown |
| Beba | Drink |
| beber | to drink |
| beber (mucho) líquido | to drink (a lot of ) liquids |
| la bebida (alcohólica) | (alcoholic) drink |
| bien | well |
| el/la bisabuelo/a | great-grandfather/mother |

| | |
|---|---|
| la boca | mouth |
| boliviano/a | Bolivian |
| bonito/a | beautiful, pretty |
| el brazo | arm |
| la bronquitis | bronchitis |
| buenas noches | good evening or good night |
| buenas tardes | good afternoon |
| buenos días | good morning |
| el bulto | bump or swelling |
| buscar | to look for |

## C

| | |
|---|---|
| la cabeza | head |
| la cadera | hip |
| el café | coffee shop or coffee |
| la cafetería | cafeteria |
| Cállese | Be quiet |
| Cálmese | Calm down |
| caminar | to walk |
| canadiense | Canadian |
| el cáncer | cancer |
| la canilla | shin |
| cansado/a | tired |
| la capilla | chapel |
| la cara | face |
| la cardiolgía | cardiology |
| la casa | house, home |
| casado/a | married |
| cerca de | close to |
| el cerebro | brain |
| la cerveza | beer |
| chileno/a | Chilean |
| el cigarillo | cigarette |
| la cintura | waist |
| la cirugía | surgery |
| el/la cirujano/a | surgeon |
| la cita | appointment |
| la ciudad | city |
| la clase | class, classroom |
| la clavícula | collarbone |

| | |
|---|---|
| la clínica | clinic |
| el coágulo | blood clot |
| el codo | elbow |
| el cólico | colic |
| colombiano/a | Colombian |
| la columna vertebral | spine |
| Coma | Eat |
| comer | to eat |
| comer galletas saladas | to eat crackers |
| la comida | food, meal |
| ¿Cómo? | How? |
| ¿Cómo está usted? | How are you? |
| ¿Cómo se llama usted? | What is your name? |
| la compañía | company |
| comprar | to buy |
| comprender | to understand |
| con frecuencia | frequently |
| confundido/a | confused |
| la congestión | congestion |
| el consultorio | doctor's office |
| contento/a | happy |
| conversar | to converse, to chat |
| la convulsión | convulsion |
| el corazón | heart |
| correr | to run |
| la cortesía | courtesy |
| costarricense | Costa Rican |
| la costilla | rib |
| la coyuntura | joint |
| creer | to believe |
| ¿Cuál/es? | which?, what? |
| ¿Cuándo? | when? |
| ¿Cuánto/a? | how much? |
| ¿Cuántos/as? | how many? |
| cuarto/a | quarter, fourth |
| cubano/a | Cuban |
| el cuello | neck |
| el cuerpo | body |
| Cuídese | Take care of yourself |
| el/la cuñado/a | brother-in-law/sister-in-law |
| los curanderos | folk healers |

# D

| | |
|---|---|
| deber (+ infinitive) | should, ought to (do something) |
| débil | weak |
| decidir | to decide |
| décimo/a | tenth |
| el dedo | finger |
| el dedo del pie | toe |
| el dedo gordo | thumb |
| delante de | in front of |
| delgado/a | thin |
| Deme | Give me |
| el/la dentista | dentist |
| el departamento de... | department of... |
| la depresión | depression |
| a la derecha de | to the right of |
| la dermatología | dermatology |
| descansar | to rest |
| Descanse | Rest |
| el descongestionante | decongestant |
| después (de) | afterwards, after |
| detrás de | behind |
| el día(s) | day(s) |
| la diabetes | diabetes |
| diabético/a | diabetic |
| la diarrea | diarrhea |
| diciembre | December |
| el diente | tooth |
| Diga | Say |
| Dígame | Tell me |
| la dirección | address |
| las direcciones | directions |
| discutir | to discuss |
| discutir las posibilidades | to discuss the possibilities |
| divorciado/a | divorced |
| Doble | Bend |
| Doble a la derecha | turn to the right |
| Doble a la izquierda | turn to the left |
| el/la doctor/a | doctor |
| el dolor al orinar | dysuria |
| el dolor de estómago | stomach ache |

| | |
|---|---|
| el domingo | Sunday |
| ¿Dónde? | Where? |
| ¿Dónde está...? | Where is...? |
| la dosis | dose |
| la droga | illegal drug |
| durante | during |

—————————— **E** ——————————

| | |
|---|---|
| ecuatoriano/a | Ecuadorian |
| la edad | age |
| él/ella | he/she |
| ellos/ellas | they |
| el embarazo | pregnancy |
| la emergencia | emergency |
| Empuje | Push |
| enamorado/a | in love |
| la encefalitis | encephalitis |
| Enderezca | Straighten |
| el enema | enema |
| enero | January |
| enfadado/a | angry (in Spain) |
| el/la enfermero/a (practicante) | nurse (practitioner) |
| enfrente de | in front of, across from |
| enojado/a | angry (in Latin America) |
| enseñar | to teach |
| la entrada | entrance |
| entre | between / come in |
| las escaleras | stairs |
| las escaleras mecánicas | escalator |
| los escalofríos | chills |
| escribir | to write |
| escuchar | to listen |
| Escuche | Listen |
| Escupa | Spit |
| la espalda | back |
| español/a | Spanish |
| esperar | to wait |
| Espere | Wait |
| el/la esposo/a | husband/wife |
| la estación de enfermeros | nursing station |

| | |
|---|---|
| el estacionamiento | parking |
| el estado (civil) | (marital) status |
| estadounidense | of the United States of America |
| Estar... | To be... |
| el estómago | stomach |
| estudiar | to study |
| examinar | to examine |
| el/la ex-esposo/a | ex-husband/ex-wife |
| Exhale | Exhale |
| exisitir | to exist |
| explicar | to explain |
| Extienda | Extend |
| extrovertido/a | extrovert |

----------------- **F** -----------------

| | |
|---|---|
| el/la farmacéutico/a | pharmacist |
| la farmacia | pharmacy |
| la fatiga | fatigue |
| febrero | February |
| la fecha (de nacimiento) | (birth)date |
| feo/a | ugly |
| la fiebre | fever |
| la fiebre tifoidea | typhoid fever |
| Firme (aquí) | Sign (here) |
| la fractura | fracture |
| fuerte | strong |
| fumar | to smoke |

-----------------  -----------------

| | |
|---|---|
| la garganta | throat |
| la ginecología | gynecology |
| la glándula | gland |
| la gonorrea | gonorrhea |
| gordito/a | plump |
| gordo/a | fat |
| la gota | drop |
| gracias | thank you |
| grande | big |

| | |
|---|---|
| la gripe | flu |
| guapo/a | handsome |
| guardar | to put away |
| guatemalteco/a | Guatemalan |

---------------  H ---------------

| | |
|---|---|
| la habitación | room |
| hablar | to speak, to talk |
| hasta luego | see you later |
| hasta mañana | see you tomorrow |
| hay... | there is/are |
| la hematología | hematology |
| la hemorragia | hemorrhage |
| la hepatitis | hepatitis |
| herido/a | wounded/injured |
| el/la hermanastro/a | stepbrother/stepsister |
| el/la hermano/a | brother/sister |
| el herpes | herpes |
| el hígado | liver |
| el/la hijo/a | son/daughter |
| la hinchazón | swelling |
| la hipertensión | hypertension |
| hola | hello |
| el hombre | man |
| el hombro | shoulder |
| hondureño/a | Honduran |
| la hora | time, hour |
| el hospital | hospital |
| el hueso | bone |

--------------- I ---------------

| | |
|---|---|
| igualmente | likewise |
| inconsciente | unconscious |
| Induzca | Induce |
| la infección | infection |
| la influenza | influenza |
| el inglés | English |
| Inhale | Inhale |
| insistir en | to insist |

| | |
|---|---|
| inteligente | intelligent |
| los intestinos | intestines |
| el instrumento | instrument |
| la inyección | injection |
| a la izquierda de | to the left of |

## J

| | |
|---|---|
| Jale | Pull |
| el jarabe | cough syrup |
| joven | young |
| el/la joven | young person |
| el jueves | Thursday |
| julio | July |
| junio | June |

## L

| | |
|---|---|
| el labio | lip |
| el laboratorio | laboratory |
| al lado de | next to |
| la laringitis | laryngitis |
| lavar | to wash |
| Lave | Wash |
| el laxante | laxative |
| la legumbre | vegetable |
| lejos de | far from |
| la lengua | tongue |
| le presento a... | let me introduce you to... |
| Levante | Lift |
| Levántese | Get up |
| limpiar | to clean |
| el líquido | liquid |
| llamar | to call |
| Llame | Call |
| llegar | to arrive |
| lo siento | I'm sorry |
| el lunes | Monday |

# M

| | |
|---|---|
| la madrastra | stepmother |
| la madre/mamá | mother/mom |
| la madrina | godmother |
| mal | bad, badly |
| la malaria | malaria |
| los mandatos | commands |
| la mandíbula | jaw |
| la mano | hand |
| Mantenga | Hold (a breath, for example) |
| el mantenimiento | housekeeping |
| el mareo | dizziness |
| el marido | husband |
| la marihuana | marijuana |
| el martes | Tuesday |
| marzo | March |
| más | more |
| más o menos. | so-so |
| la matriz | womb; uterus; pelvic area |
| mayo | May |
| la medianoche | midnight |
| la medicina | medicine |
| el/la médico/a | doctor |
| medio/a | half |
| el/la medio/a hermano/a | half brother/sister |
| el mediodía | moon |
| la mejilla | cheek |
| me llamo... | my name is... |
| el mes(es) | month(s) |
| mexicano/a | Mexican |
| el miércoles | Wednesday |
| el minuto(s) | minute(s) |
| mirar | to look at, to watch |
| mucho | a lot |
| mucho gusto | it's a pleasure |
| la muela | molar |
| la muerte | death |
| muerto | dead |
| Mueva | Move |
| la mujer | woman |

| | |
|---|---|
| la muñeca | wrist |
| el músculo | muscle |
| el muslo | thigh |
| muy | very |

## N

| | |
|---|---|
| el nacimiento | birth, birthday |
| el narcótico | narcotic |
| la nariz | nose |
| la náusea | nausea |
| necesitar | to need |
| la nefrología | nephrology |
| el nervio | nerve |
| nervioso/a | nervous |
| la neumonía | pneumonia |
| la neurología | neurology |
| nicaragüense | Nicaraguan |
| el/la nieto/a | grandson/granddaughter |
| el /la niño/a | boy/girl |
| la nitroglicerina | nitroglycerin |
| el nombre | name |
| norteamericano/a | North American |
| noveno/a | ninth |
| noviembre | November |
| el/la novio/a | fiancé(e), groom/bride |
| la nuera | daughter-in-law |
| el número | number |
| la nutrición | nutrition |

## O

| | |
|---|---|
| observar | to observe |
| la obstetricia | obstetrics |
| octavo/a | eighth |
| octubre | October |
| la ocupación | occupation |
| ocupado/a | busy |
| la oficina de pagos | billing office |
| la oftalmología | ophthalmology |
| el oído | inner ear or hearing |

| | |
|---|---|
| el ojo | eye |
| la oncología | oncology |
| la operación | operation |
| óptico | optical |
| la oreja | ear |
| Orine | Urinate |
| la ortopedia | orthopedics |
| la otorrinolaringología | otolaryngology |

## P

| | |
|---|---|
| el/la paciente | patient |
| paciente | patient |
| el padrastro | stepfather |
| el padre/papá | father/dad |
| los padres | parents |
| el padrino | godfather |
| la palma | palm |
| palpar | to feel, to palpate |
| panameño/a | Panamanian |
| la pantorrilla | calf |
| las paperas | mumps |
| paraguayo/a | Paraguayan |
| la parálisis | paralysis |
| el/la paramédico/a | paramedic |
| Pare | Stop |
| Párese | Stand up |
| el pariente | relative |
| Pase | Go by; Come in |
| el pasillo | hallway |
| la pastilla | pill |
| el pecho | chest or breast |
| la pediatría | pediatrics |
| el pelo | hair |
| el pene | penis |
| la penicilina | penicillin |
| pequeño/a | small |
| perdido/a | lost |
| perdón | pardon me |
| perezoso/a | lazy |
| (con) permiso | excuse me |
| peruano/a | Peruvian |

| | |
|---|---|
| pesar | to weigh |
| la piel | skin |
| la pierna | leg |
| la píldora | pill |
| el piso | floor (in Latin America) |
| la planta | floor (in Spain) |
| poco | a little |
| la polio | polio |
| la póliza | policy |
| Ponga | Put |
| Póngase | Put on |
| por favor | please |
| ¿Por qué? | why? |
| porque | because |
| preocupado/a | worried |
| preparar | to prepare |
| la presión alta | high blood pressure |
| primario/a | primary |
| primero/a | first |
| el/la primo/a | cousin |
| el problema | problem |
| pronto | soon |
| el/la psicólogo/a | psychologist |
| el/la psiquiatra | psychiatrist |
| la (p)siquiatría | psychiatry |
| la puerta | door |
| puertorriqueño/a | Puerto Rican |
| Puje | Push |
| el pulgar | thumb |
| el pulmón | lung |
| la pulmonía | pneumonia |

—————————— **Q** ——————————

| | |
|---|---|
| ¿Qué? | what? |
| Quédese | Stay |
| ¿Quién/es? | who? |
| quinto/a | fifth |
| el quirófano | operating room |
| Quite | Remove |
| Quítese | Take off |

## R

| | |
|---|---|
| el rayo X | X-ray |
| la recepción | reception desk |
| el/la recepcionista | receptionist |
| las recetas | prescriptions |
| recibir | to receive |
| regresar | to return |
| la rehabilitación | rehabilitation |
| Relájese | Relax |
| Repita | Repeat |
| el resfrío/resfriado | cold |
| la respiración | respiration or breath |
| Respire | Breathe |
| el reumatismo | rheumatism |
| el riñón | kidney |
| la rodilla | knee |
| las ronchas | hives |
| la ropa | clothes |
| la rubéola | German measles, rubella |

## S

| | |
|---|---|
| el sábado | Saturday |
| sacar | to remove, to take out |
| la sala de emergencia | emergency room |
| la sala de espera | waiting room |
| la sala de operaciones | operating room |
| la sala de rayos X | X-ray room |
| la sala de recuperación | recovery room |
| la sala de revisación | exam room |
| Salte | Hop |
| la salud | health |
| salvadoreño/a | Salvadoran |
| la sangre | blood |
| Saque | Put out (stick out, as in the tongue) |
| el sarampión | measles |
| el/la secretario/a | secretary |
| secundario/a | secondary |
| el sedante/sedativo | sedative |
| segundo/a | second |

| | |
|---|---|
| la seguridad | security |
| el seguro (de salud) | (health) insurance |
| el seguro social | social security |
| la(s) semana(s) | week(s) |
| los senos | breasts |
| Señale | Point |
| el señor | Mr. |
| la señora | Mrs. |
| la señorita | Miss |
| septiembre | September |
| séptimo/a | seventh |
| ser | to be |
| el sexo | sex |
| sexto/a | sixth |
| el SIDA | AIDS |
| siempre | always |
| Siéntese | Sit down |
| la sífilis | syphilis |
| Siga | Keep going |
| Siga derecho | Keep going straight |
| Sígame | Follow me |
| simpático/a | nice |
| la sinusitis | sinusitis |
| el sistema | system |
| el sobaco | armpit |
| el/la sobrino/a | nephew/niece |
| soltero/a | single |
| Sople | Blow |
| (yo) soy... | I am... |
| Suba | Go up |
| subir | to climb; to go up |
| subir de peso | to gain weight |
| el/la suegro/a | father-in-law/mother-in-law |
| sufrir | to suffer |
| el/la supervisor/a | supervisor |
| el supositorio | suppository |

—————————— **T** ——————————

| | |
|---|---|
| la tableta | tablet |
| el talón | heel |
| también | also |

| | |
|---|---|
| la tarjeta de seguro | insurance card |
| el teléfono (de casa) | (home) phone number |
| el teléfono (del trabajo) | (work) phone number |
| temer | to fear |
| tener calor | to be hot |
| tener cuidado | to be careful |
| tener fiebre | to have a fever |
| tener frío | to be cold |
| tener gripe | to have the flu |
| tener hambre | to be hungry |
| tener miedo | to be scared |
| tener prisa | to be in a hurry |
| tener sed | to be thirsty |
| tener sueño | to be sleepy |
| Tenga cuidado | Be careful |
| el/la terapeuta | therapist |
| la terapia física | physical therapy |
| tercero/a | third |
| el termómetro | thermometer |
| la tienda de regalos | gift shop |
| tímido/a | shy |
| el/la tío/a | uncle/aunt |
| el tobillo | ankle |
| tocar | to touch |
| todos | every, all |
| todos los días | everyday |
| tomar | to take |
| Tome | Take |
| la tos | cough |
| trabajador/a | hardworking |
| trabajar | to work |
| el trabajo | work, job |
| Trague | Swallow |
| Traiga | Bring |
| tranquilo/a | calm |
| triste | sad |
| la tuberculosis | tuberculosis |
| el tumor | tumor |

# U

| | |
|---|---|
| la úlcera | ulcer |
| el ungüento | ointment |
| la unidad de cuidado intensivo | intensive care unit |
| unido/a | close (as in family relations) |
| la universidad | university |
| uruguayo/a | Uruguayan |
| usar | use |
| usted/Ud. | you (formal) |
| el útero | uterus |

# V

| | |
|---|---|
| la vagina | vagina |
| la varicela | chicken pox |
| Vaya | Go |
| la vejez | old age |
| la vejiga | bladder |
| la vena | vein |
| vender | to sell |
| venezolano/a | Venezuelan |
| Venga aquí | Come (here) |
| ver | to see |
| el vértigo | dizziness |
| la vesícula biliar | gall bladder |
| viajar | to travel |
| viejo/a | old |
| el/la viejo/a | old person |
| el viernes | Friday |
| el VIH | HIV |
| la viruela | smallpox |
| el virus | virus |
| viudo/a | widowed |
| vivir | to live |
| Voltéese | Turn over |
| vomitar | to vomit |
| el vómito | vomit |

# Y

| | |
|---|---|
| el yerno | son-in-law |
| yo | I |

# Glossary
## (English to Spanish)

─────────── **A** ───────────

| | |
|---|---|
| a, some | un/a, unos/as |
| a little | poco |
| a lot | mucho |
| abdomen | el abdomen |
| address | la dirección |
| afterwards, after | después (de) |
| age | la edad |
| AIDS | el SIDA |
| allergy | la alergia |
| also | también |
| always | siempre |
| analgesic | la analgésico |
| anemia | la anemia |
| anesthetist | el/la anestesista |
| angry (in Latin America) | enojado/a |
| angry (in Spain) | enfadado/a |
| ankle | el tobillo |
| antacid | el antiácido |
| antibiotic | el antibiótico |
| appendicitis | la apendicitis |
| appendix | el apéndice |
| appointment | la cita |
| April | abril |
| Argentine | argentino/a |
| arm | el brazo |
| armpit | el sobaco, la axila |
| arrive (to arrive) | llegar |
| artery | la arteria |
| arthritis | la artritis |
| aspirin | la aspirina |

| | |
|---|---|
| asthma | el asma |
| at your service | a sus órdenes |
| attack | el ataque |
| attend to (to attend to) | asistir a |
| August | agosto |

## B

| | |
|---|---|
| back | la espalda |
| bad, badly | mal |
| bathroom | el baño |
| be (to be) | ser or estar |
| Be careful | Tenga cuidado |
| Be quiet | Cállese |
| beautiful, pretty | bonito/a |
| because | porque |
| beer | la cerveza |
| before | antes de |
| behind | detrás de |
| believe (to believe) | creer |
| Bend | Doble |
| between / come in | entre |
| big | grande |
| billing office | la oficina de pagos |
| birth, birthday | el nacimiento/el cumpleaños |
| bladder | la vejiga |
| blister | la ampolla |
| blood | la sangre |
| blood clot | el coágulo |
| Blow | Sople |
| body | el cuerpo |
| Bolivian | boliviano/a |
| bone | el hueso |
| bored | aburrido/a |
| boredom | el aburrimiento |
| boy/girl | el/la niño/a |
| brain | el cerebro |
| breasts | los senos |
| Breathe | Respire |
| Bring | Traiga |
| bronchitis | la bronquitis |
| brother/sister | el/la hermano/a |

| | |
|---|---|
| brother-in-law/sister-in-law | el/la cuñado/a |
| bump or swelling | el bulto |
| busy | ocupado/a |
| buy (to buy) | comprar |

## C

| | |
|---|---|
| cafeteria | la cafetería |
| calf | la pantorrilla |
| Call | Llame |
| call (to call) | llamar |
| calm | tranquilo/a |
| Calm down | Cálmese |
| Canadian | canadiense |
| cancer | el cáncer |
| cardiology | la cardiolgía |
| careful (to be careful) | tener cuidado |
| chapel | la capilla |
| cheek | la mejilla |
| chest | el pecho |
| chicken pox | la varicela |
| Chilean | chileno/a |
| chills | los escalofríos |
| chin | la barbilla |
| cigarette | el cigarrillo |
| city | la ciudad |
| class, classroom | la clase |
| clean (to clean) | limpiar |
| climb (to climb; to go up) | subir |
| clinic | la clínica |
| close (as in family relations) | unido/a |
| close to | cerca de |
| clothes | la ropa |
| coffee shop or coffee | el café |
| cold | el resfrío/resfriado |
| cold (to be cold) | tener frío |
| colic | el cólico |
| collarbone | la clavícula |
| Colombian | colombiano/a |
| Come (here) | Venga aquí |
| Come in | Pase |

| | |
|---|---|
| commands | los mandatos |
| company | la compañía |
| confused | confundido/a |
| congestion | la congestión |
| contraceptive | el anticonceptivo |
| converse (to converse, to chat) | conversar |
| convulsion | la convulsión |
| Costa Rican | costarricense |
| cough | la tos |
| cough syrup | el jarabe |
| courtesy | la cortesía |
| cousin | el/la primo/a |
| Cuban | cubano/a |

## D

| | |
|---|---|
| date (birth) | la fecha (de nacimiento) |
| daughter-in-law | la nuera |
| day(s) | el/los día(s) |
| dead | muerto/a |
| death | la muerte |
| December | diciembre |
| decide (to decide) | decidir |
| decongestant | el descongestionante |
| dentist | el/la dentista |
| department of... | el departamento de... |
| departments | los departamentos |
| depression | la depresión |
| dermatology | la dermatología |
| diabetes | la diabetes |
| diabetic | diabético/a |
| diarrhea | la diarrea |
| directions | las direcciones |
| discuss (the possibilities) | discutir (las posibilidades) |
| divorced | divorciado/a |
| dizziness | el vértigo, el mareo |
| doctor | el/la doctor/a |
| doctor | el/la médico/a |
| door | la puerta |
| dose | la dosis |
| Drink | Beba |

| | |
|---|---|
| drink (alcoholic) | la bebida (alcohólica) |
| drink (a lot of liquids) | beber (mucho) líquido |
| drop | la gota |
| during | durante |
| dysuria | el dolor al orinar |

———————— **E** ————————

| | |
|---|---|
| ear | la oreja |
| Eat | Coma |
| eat (to eat crackers) | comer (galletas saladas) |
| Ecuadorian | ecuatoriano/a |
| eighth | octavo/a |
| elbow | el codo |
| elevator | el ascensor |
| emergency | la emergencia |
| emergency room | la sala de emergencia |
| encephalitis | la encefalitis |
| enema | el enema |
| English | inglés/inglesa |
| entrance | la entrada |
| epileptic attack | el ataque de epilepsia |
| escalator | la escalera mecánica |
| every, all | todos |
| everyday | todos los días |
| examine (to examine) | examinar |
| exam room | la sala de revisación |
| excuse me | (con) permiso |
| Exhale | Exhale |
| ex-husband/ex-wife | el/la ex-esposo/a |
| exist (to exist) | existir |
| explain (to explain) | explicar |
| Extend | Extienda |
| extrovert | extrovertido/a |
| eye | el ojo |

———————— **F** ————————

| | |
|---|---|
| face | la cara |
| far from | lejos de |
| fat | gordo/a |

| | |
|---|---|
| father/dad | el padre/papá |
| father-in-law/mother-in-law | el/la suegro/a |
| fatigue | la fatiga |
| fear (to fear) | temer |
| February | febrero |
| feel (to feel, to palpate) | palpar |
| fever | la fiebre |
| fever (to have a fever) | tener fiebre |
| fiancé(e), groom/bride | el/la novio/a |
| fifth | quinto/a |
| file | el archivo |
| finger | el dedo |
| first | primero/a |
| floor (in Latin America) | el piso |
| floor (in Spain) | la planta |
| flu | la gripe |
| flu (to have the flu) | tener gripe |
| folk healers | los curanderos |
| Follow me | Sígame |
| food, meal | la comida |
| fourth | cuarto/a |
| fracture | la fractura |
| frequently | con frecuencia |
| Friday | el viernes |

─────────────── **G** ───────────────

| | |
|---|---|
| gain (to gain weight) | subir de peso |
| gall bladder | la vesícula biliar |
| German measles, rubella | la rubéola |
| Get up | Levántese |
| gift shop | la tienda de regalos |
| Give me | Deme |
| gland | la glándula |
| Go | Vaya |
| Go by | Pase |
| Go down | Baje |
| Go up | Suba |
| godfather | el padrino |
| godmother | la madrina |
| godson/goddaughter | el/la ahijado/a |

| | |
|---|---|
| gonorrhea | la gonorrea |
| good afternoon | buenas tardes |
| good evening | buenas noches |
| good morning | buenos días |
| good night | buenas noches |
| good-bye | adiós |
| gown | la bata |
| Grab | Agarre |
| grandfather/grandmother | el/la abuelo/a |
| grandson/granddaughter | el/la nieto/a |
| great-grandfather/mother | el/la bisabuelo/a |
| Guatemalan | guatemalteco/a |
| gynecology | la ginecología |

**H**

| | |
|---|---|
| hair | el pelo |
| half | medio/a |
| half brother/sister | el/la medio/a hermano/a |
| hallway | el pasillo |
| hand | la mano |
| handsome | guapo/a |
| happy | contento/a, feliz |
| hardworking | trabajador/a |
| he/she | él/ella |
| head | la cabeza |
| health | la salud |
| heart | el corazón |
| heart attack | el ataque al corazón/cardíaco |
| heartburn | la acedia/acidez |
| heel | el talón |
| hello | hola |
| Help | Ayude |
| help | la ayuda |
| help (to help) | ayudar a |
| hematology | la hematología |
| hemorrhage | la hemorragia |
| hepatitis | la hepatitis |
| herpes | el herpes |
| high blood pressure | la presión alta |
| hip | la cadera |

| | |
|---|---|
| HIV | el VIH |
| hives | las ronchas |
| Hold (a breath for example) | Mantenga |
| Honduran | hondureño/a |
| Hop | Salte |
| hospital | el hospital |
| hot (to be hot) | tener calor |
| house, home | la casa |
| housekeeping | el mantenimiento |
| how? | ¿Cómo? |
| How are you? | ¿Cómo está usted? |
| how many? | ¿Cuántos/as? |
| how much? | ¿Cuánto/a? |
| hungry (to be hungry) | tener hambre |
| hurry (to be in a hurry) | tener prisa |
| husband | el marido |
| husband/wife | el/la esposo/a |
| hypertension | la hipertensión |

—————————— I ——————————

| | |
|---|---|
| I | yo |
| I am... | (yo) soy... |
| I am sorry | lo siento |
| illegal drug | la droga |
| in a hurry | apurado/a |
| in front of | delante de |
| in front of, across from | enfrente de |
| in love | enamorado/a |
| Induce | Induzca |
| infection | la infección |
| influenza | la influenza |
| Inhale | Inhale |
| injection | la inyección |
| inner ear or hearing | el oído |
| insist (to insist) | insistir en |
| instrument | el instrumento |
| insurance | la aseguranza |
| insurance (health) | el seguro (de salud) |
| insurance card | la tarjeta del seguro |
| intelligent | inteligente |

| | |
|---|---|
| intensive care unit | la unidad de cuidado intensivo |
| intestines | los intestinos |
| it's a pleasure | mucho gusto |

## J

| | |
|---|---|
| January | enero |
| jaw | la mandíbula |
| joint | la coyuntura, la articulación |
| July | julio |
| June | junio |

## K

| | |
|---|---|
| Keep going | Siga |
| Keep going straight | Siga derecho |
| kidney | el riñón |
| kind | amable |
| knee | la rodilla |

## L

| | |
|---|---|
| laboratory | el laboratorio |
| laryngitis | la laringitis |
| last name | el apellido |
| laxative | el laxante |
| lazy | perezoso/a |
| learn (how to do something) | aprender a (+ infinitive) |
| leg | la pierna |
| let me introduce you to... | le presento a... |
| Lie down | Acuéstese |
| Lift | Levante |
| likewise | igualmente |
| lip | el labio |
| liquid | el líquido |
| Listen | Escuche |
| listen (to listen) | escuchar |
| live (to live) | vivir |
| liver | el hígado |
| look for (to look for) | buscar |

| lost | perdido/a |
| lung | el pulmón |

## M

| malaria | la malaria |
| man | el hombre |
| March | marzo |
| marijuana | la marihuana |
| married | casado/a |
| May | mayo |
| mean | antipático/a |
| measles | el sarampión |
| medicine | la medicina |
| Mexican | mexicano/a |
| minute(s) | el (los) minuto(s) |
| Miss | la señorita |
| molar | la muela |
| Monday | el lunes |
| month(s) | el/los mes(es) |
| more | más |
| mother/mom | la madre/mamá |
| mouth | la boca |
| Move | Mueva |
| Mr. | el señor |
| Mrs. | la señora |
| mumps | las paperas |
| muscle | el músculo |
| my name is... | me llamo... |

## N

| name | el nombre |
| narcotic | el narcótico |
| nausea | la náusea |
| neck | el cuello |
| need (to need) | necesitar |
| nephew/niece | el/la sobrino/a |
| nephrology | la nefrología |
| nerve | el nervio |
| nervous | nervioso/a |

| | |
|---|---|
| nervous breakdown | ataque de nervios |
| neurology | la neurología |
| next to | al lado de |
| Nicaraguan | nicaragüense |
| nice | simpático/a |
| ninth | noveno/a |
| nitroglycerin | la nitroglicerina |
| North American | norteamericano/a or estadounidense |
| nose | la nariz |
| November | noviembre |
| number (numbers are on page 3) | el número |
| nurse (practitioner) | el/la enfermero/a (practicante) |
| nursing station | la estación de enfermeras |
| nutrition | la nutrición |

| | |
|---|---|
| observe (to observe) | observar |
| obstetrics | la obstetricia |
| occupation | la ocupación |
| October | octubre |
| office (doctor's) | el consultorio |
| ointment | el ungüento |
| old | viejo/a |
| old age | la vejez |
| old person | el/la viejo/a |
| Open | Abra |
| open (to open) | abrir |
| operating room | la sala de operaciones, el quirófano |
| operation | la operación |
| ophthalmology | la oftalmología |
| oncology | la oncología |
| optical | óptico |
| orthopedics | la ortopedia |
| otolaryngology | la otorrinolaringología |

| | |
|---|---|
| palm | la palma |
| Panamanian | panameño/a |
| panic attack | el ataque de pánico |

| | |
|---|---|
| paralysis | la parálisis |
| paramedic | el/la paramédico/a |
| pardon me | perdón |
| parents | los padres |
| parking | el estacionamiento/aparcamiento |
| patient | el/la paciente |
| pediatrics | la pediatría |
| penicillin | la penicilina |
| penis | el pene |
| Peruvian | peruano/a |
| pharmacist | el/la farmacéutico/a |
| pharmacy, drug store | la farmacia |
| phone number (home) | el teléfono (de casa) |
| phone number (work) | el teléfono (del trabajo) |
| physical therapy | la terapia física |
| physician assistant | el/la auxiliar médico/a |
| pill | la pastilla, la píldora |
| please | por favor |
| plump | gordito/a |
| pneumonia | la neumonía/pulmonía |
| Point | Señale |
| policy | la póliza |
| polio | la polio |
| pregnancy | el embarazo |
| prepare (to prepare) | preparar |
| prescriptions | las recetas |
| primary | primario/a |
| problem | el problema |
| psychiatrist | el/la (p)siquiatra |
| psychiatry | la (p)siquiatría |
| psychologist | el/la (p)sicólogo/a |
| Puerto Rican | puertorriqueño/a |
| Pull | Jale |
| Push | Empuje, Puje |
| Put | Ponga |
| put away (to put away) | guardar |
| Put on | Póngase |
| Put out | Saque |
| (stick out, as in the tongue) | |

—————————— **Q** ——————————

| | |
|---|---|
| quarter | cuarto, 25 centavos |

—————————— **R** ——————————

| | |
|---|---|
| receive (to receive) | recibir |
| reception | la recepción |
| receptionist | el/la recepcionista |
| recovery room | la sala de recuperación |
| rehabilitation | la rehabilitación |
| related vocabulary | el vocabulario relacionado |
| relative | el pariente |
| Relax | Relájese |
| Remove | Quítese |
| remove (to remove, to take out) | sacar |
| Repeat | Repita |
| respiration or breath | la respiración |
| Rest | Descanse |
| rest (to rest) | descansar |
| restrooms | los baños |
| return (to return) | regresar |
| rheumatism | el reumatismo |
| rib | la costilla |
| room | la habitación |
| rubella | la rubéola |
| run (to run) | correr |

—————————— **S** ——————————

| | |
|---|---|
| sad | triste |
| Salvadoran | salvadoreño/a |
| Saturday | el sábado |
| Say | Diga |
| scared (to be scared) | tener miedo |
| second | segundo/a |
| secondary | secundario/a |
| secretary | el/la secretario/a |
| security | la seguridad |
| sedative | el sedante/sedativo |

| | |
|---|---|
| see (to see) | ver |
| see you later | hasta luego |
| see you tomorrow | hasta mañana |
| sell (to sell) | vender |
| September | septiembre |
| seventh | séptimo/a |
| sex | el sexo |
| shin | la canilla |
| short | bajo/a |
| should, ought to (do something) | deber (+ infinitive) |
| shoulder | el hombro |
| shy | tímido/a |
| Sign (here) | Firme (aquí) |
| single | soltero/a |
| sinusitis | la sinusitis |
| Sit down | Siéntese |
| sixth | sexto/a |
| skin | la piel |
| sleepy (to be sleepy) | tener sueño |
| small | pequeño/a |
| smallpox | la viruela |
| smoke (to smoke) | fumar |
| so-so | más o menos |
| social security | el seguro social |
| social worker | el/la asistente social |
| son/daughter | el/la hijo/a |
| son-in-law | el yerno |
| soon | pronto |
| Spanish | español/a |
| speak (to speak, to talk) | hablar |
| spine | la columna vertebral |
| Spit | Escupa |
| Squeeze or press | Agarre, Apriete |
| stairs | las escaleras |
| Stand up | Párese |
| status (marital) | el estado (civil) |
| Stay | Quédese |
| stepbrother/stepsister | el/la hermanastro/a |
| stepfather | el padrastro |
| stepmother | la madrastra |
| stomach | el estómago |
| stomach ache | el dolor de estómago |

| | |
|---|---|
| Stop | Pare |
| Straighten | Enderezca |
| stroke | el ataque cerebral |
| strong | fuerte |
| study (to study) | estudiar |
| suffer (to suffer) | sufrir |
| Sunday | el domingo |
| supervisor | el/la supervisor/a |
| suppository | el supositorio |
| surgeon | el/la cirujano/a |
| surgery | la cirugía |
| Swallow | Trague |
| swelling | la hinchazón |
| syphilis | la sífilis |
| system | el sistema |

## T

| | |
|---|---|
| tablet | la tableta |
| Take | Tome |
| take (to take) | tomar |
| Take care of yourself | Cuídese |
| Take off | Quítese |
| tall | alto/a |
| teach (to teach) | enseñar |
| Tell me | Dígame |
| tenth | décimo/a |
| thank you | gracias |
| therapist | el/la terapeuta |
| there is/are | hay... |
| thermometer | el termómetro |
| they | ellos/ellas |
| thigh | el muslo |
| thin | delgado/a |
| third | tercero/a |
| thirsty (to be thirsty) | tener sed |
| throat | la garganta |
| thumb | el dedo gordo, el pulgar |
| Thursday | el jueves |
| time, hour | la hora |
| tired | cansado/a |

| | |
|---|---|
| to the left of | a la izquierda de |
| to the right of | a la derecha de |
| toe | el dedo del pie |
| tongue | la lengua |
| tonsillitis | la amigdalitis |
| tonsils | las amígdalas |
| tooth | el diente |
| touch (to touch) | tocar |
| travel (to travel) | viajar |
| tuberculosis | la tuberculosis |
| Tuesday | el martes |
| tumor | el tumor |
| Turn over | Voltéese |
| Turn to the left | Doble a la izquierda |
| Turn to the right | Doble a la derecha |
| typhoid fever | la fiebre tifoidea |

## U

| | |
|---|---|
| ugly | feo/a |
| ulcer | la úlcera |
| uncle/aunt | el/la tío/a |
| unconscious | inconsciente |
| understand (to understand) | comprender, entender |
| university | la universidad |
| Urinate | Orine |
| use | usar |
| Uruguayan | uruguayo/a |
| uterus | el útero |

##  V

| | |
|---|---|
| vagina | la vagina |
| vegetable | la legumbre/verdura |
| vein | la vena |
| Venezuelan | venezolano/a |
| very | muy |
| virus | el virus |
| vomit | el vómito |
| vomit (to vomit) | vomitar |

# W

| | |
|---|---|
| waist | la cintura |
| Wait | Espere |
| wait (to wait) | esperar |
| waiting room | la sala de espera |
| walk (to walk) | caminar |
| Wash | Lave |
| wash (to wash) | lavar |
| watch (to look at, to watch) | mirar |
| weak | débil |
| Wednesday | el miércoles |
| week(s) | la(s) semana(s) |
| weigh (to weigh) | pesar |
| well | bien |
| What? | ¿Qué? |
| What is your name? | ¿Cómo se llama usted? |
| When? | ¿Cuándo? |
| Where? | ¿Dónde? |
| Where is...? | ¿Dónde está...? |
| which?, what? | ¿Cuál/es? |
| who? | ¿Quién/es? |
| why? | ¿Por qué? |
| widowed | viudo/a |
| woman | la mujer |
| womb, uterus, pelvic area | la matriz |
| work, job | el trabajo |
| work (to work) | trabajar |
| worried | preocupado/a |
| wounded/injured | herido/a |
| wrist | la muñeca |
| write (to write) | escribir |

# X

| | |
|---|---|
| X-ray | el rayo X |
| X-ray room | la sala de rayos X |

#  Y

| | |
|---|---|
| year(s) | el/los año(s) |
| you (formal) | usted/Ud. |
| young | joven |
| young person | el/la joven |

# Oral Script for "Escuchemos" Sections

**Preliminary Chapter**

P-2

1. paciente
2. doctor
3. hospital
4. señora
5. Yolanda
6. México
7. Venus
8. béisbol
9. zorro
10. existencia

P-5

1. cuatro
2. nueve
3. dieciséis
4. veinte
5. veinte y ocho
6. treinta y nueve
7. cuarenta y cuatro
8. sesenta
9. setenta y siete
10. cien

P-8

1. El 18 de julio
2. El 25 de agosto
3. El primero de septiembre
4. El 13 de octubre
5. El 3 de noviembre

# Chapter One

1-2

Conversation #1

| La enfermera: | Buenos días, Sra. ¿Cómo se llama usted? |
| La señora: | Me llamo Carolina Arias de Rodríguez. |
| La enfermera: | Yo soy Silvia, la enfermera. |

Conversation #2

| El doctor: | ¿Cómo está, Sra.? |
| La señora: | No muy bien, doctor. |
| El doctor: | Lo siento, señora. |

1-5

1. el hospital
2. la secretaria
3. la señora
4. el doctor
5. el paramédico
6. la glándula

1-8

1. la dosis
2. la operación
3. la paciente
4. un médico
5. una asistente

1-11

1.   Yo soy el esposo de Carolina. Me llamo _____.
2.   Yo soy la hermana de Juan y Pablo. Me llamo _____.
3.   Yo soy la nuera de Pedro y Carolina. Me llamo _____.
4.   Yo soy el sobrino de Claudia y Pablo. Me llamo _____.
5.   Yo soy la abuela de Juanito. Me llamo _____.

1-14

1.   Tú y yo
2.   Usted
3.   Pedro y Laura
4.   Yo
5.   El recepcionista

1-17

Hola. Les voy a describir a mis parientes. Mi familia es chilena. Mi hermana, Laura, es muy bonita. Ella es alta y delgada; es extrovertida e inteligente. Mi hermano, Arturo, no es extrovertido, él es tímido. Él es guapo, fuerte y muy simpático. La esposa de mi hermano, María, es gordita y baja—es bonita también. Mis padres son muy amables; nosotros somos una familia muy unida.

Práctica

A.

1.   ¿Cómo se llama usted?
2.   ¿Cómo está usted?
3.   Mucho gusto.
4.   Estoy muy mal.
5.   Muchas gracias.

## Chapter Two

2-2

1.   la marihuana
2.   la bebida alcohólica
3.   la televisión

4. el paciente
5. el español

2-5

El doctor Santos Cruz es muy inteligente y simpático. Él siempre conversa con sus pacientes. Todos los días él prepara los instrumentos, examina a sus pacientes y ayuda a los enfermeros. Trabaja mucho. Después, regresa a casa. Mira televisión, prepara su comida y descansa.

2-8

1. ¿Ud. fuma?
2. ¿Ud. estudia español?
3. ¿Ud. trabaja?
4. ¿Ud. toma Vodka?
5. ¿Ud. vomita con frecuencia?

2-11

1. ¿Cómo se llama usted?
2. ¿Quién es su médico?
3. ¿Cuál es su fecha de nacimiento?
4. ¿Cuál es su número de seguro social?
5. ¿Cuál es su compañía de seguros?

2-14

1. 12:35 de la tarde
2. 1:05 de la tarde
3. 8:45 de la mañana
4. 4:20 de la mañana
5. 3:05 de la tarde
6. Es el mediodía
7. 10:30 de la noche

Práctica. A.

1. ¿Ud. toma bebidas alcohólicas?
2. ¿Fuma Ud.?
3. ¿Descansa Ud. mucho?
4. ¿Ud. toma drogas?
5. ¿Habla Ud. español?

## Chapter Three

3-2

En el primer piso hay muchos lugares. La farmacia está al lado de los ascensores. El departamento de terapia física está a la izquierda del departamento de ortopedia. El deparamento de ginecología está enfrente del departamento de hematología. El departamento de pediatría está cerca del departamento de otorrinolaringología. Finalmente, los baños están a la izquierda del departamento de mantenimiento.

3-5

En el primer piso están la farmacia y los departamentos de: terapia física, ortopedia, ginecología, hematología, pediatría, otorrinolaringología, y mantenimiento. En el segundo piso están la sala de operaciones, la sala de recuperación, y la unidad de cuidado intensivo. En el tercer piso están el laboratorio, la capilla y los departamentos de nefrología, cardiología y dermatología. En el cuarto piso están los departamentos de neurología, oncología, oftalmología y rehabilitación. Y finalmente, en el quinto piso están las habitaciones y la estación de enfermeras.

3-8

1. 170
2. 287
3. 350
4. 421
5. 555
6. 609
7. 799
8. 800
9. 930
10. 1.345

3-11

1. La mamá está contenta.
2. El enfermero está enojado.
3. El paciente está perdido.
4. La doctora está preocupada.
5. El paramédico está apurado.

3-14

1. El Dr. Herrera está muy preocupado porque los enfermeros están muy tristes. Ellos están tristes porque el paciente está muerto.
2. La recepcionista está contenta porque ella está enamorada. Su novio no está contento, él está triste porque no está enamorado de ella.
3. El psicólogo está preocupado porque su paciente está muy nervioso.

3-17

1. Juanito tiene fiebre.
2. El niño tiene miedo.
3. La paciente tiene hambre.
4. La paciente tiene tos.
5. El paciente tiene sed.

Práctica

A. Raúl está enfermo. Él tiene tos y fiebre. Está muy cansado y triste. También está un poco confundido y nervioso. Él tiene gripe y tiene mucho frío. ¡Pobre Raúl!

## Chapter Four

4-2

1. La señora sube las escaleras.
2. El paciente come una galleta salada.
3. El hombre lee en la sala de espera.
4. La doctora asiste a la conferencia.
5. La enfermera abre la puerta.

4-5

1. ¿Vive Ud. en los Estados Unidos?
2. ¿Bebe Ud. mucho líquido?
3. ¿Come Ud. galletas saladas?
4. ¿Discute Ud. las posibilidades con el médico?
5. ¿Teme la muerte?

4-8

1. ¿Hace cuánto que Ud. tiene fiebre?
2. ¿Hace cuánto que Ud. sufre de ataques de pánico?
3. ¿Hace cuánto que Ud. tiene tos?
4. ¿Hace cuánto que su hijo está enfermo?
5. ¿Hace cuánto que su padre bebe Whiskey?

4-11

1. Saque la lengua
2. Párese
3. Siéntese
4. Inhale
5. Exhale
6. Señale
7. Sople
8. Respire profundamente
9. Salte
10. Beba

4-14

1. ¿Cómo está Ud.?
2. ¿Qué hora es?
3. ¿Cómo es el/la profesor/a de español?
4. ¿Está Ud. cansado/a?
5. ¿Está Ud. enfermo/a?

Práctica

A.

1. ¿Dónde vive Ud?
2. ¿Comprende Ud. español?
3. ¿Asiste Ud. a una clase de español?
4. ¿Hace cuánto que estudia español?
5. ¿Cómo es su doctor o doctora?

## Chapter Five

5-2

1. la cabeza
2. el estómago
3. el tobillo
4. la muñeca
5. el dedo
6. el pie
7. la espalda
8. la cadera
9. el hombro
10. la clavícula

5-5

1. ¿Le duele la garganta?
2. ¿Le duele el estómago?
3. ¿Le duelen los pies?
4. ¿Le duelen las manos?
5. ¿Le duele el cuello?

5-8

1. A María le duele la garganta. Ella tiene…
2. Laura tiene ampollas por todo el cuerpo. Ella tiene…
3. Pedro tiene una enfermedad sexual. Él tiene…
4. A la profesora le duele el estómago. Ella tiene…

5-11

1. Antonio necesita ponerse ungüento dos veces por día.
2. Sandra necesita tomar una pastilla anticonceptiva una vez por día.
3. Pedro necesita tomar un laxante tres veces por día.
4. Ricardo necesita usar dos gotas cada seis horas.
5. Susana necesita tomar una tableta de penicilina cada ocho horas.

5-14

Juan Carlos es enfermero. Él tiene mucho trabajo. Primero, va a examinar al paciente. Segundo le va a explicar el problema. Tercero, le va a dar una inyección. Finalmente, le va a explicar la receta.

# Apéndice (Appendix)

**verbos con cambio de radical** *(Stem-Changing Verbs)*

In Spanish, there are three types of stem-changing verbs: *e→ie, e→i,* and *o→ue.* These verbs require a change in the stem vowel of the present indicative form, excluding the nosotros/as and vosotros/as forms.

e→ie

**querer** *(to want; to love)*

| | | | |
|---|---|---|---|
| yo | quiero | nosotros/as | queremos |
| tú | quieres | vosotros/as | queréis |
| él, ella, Ud. | quiere | ellos, ellas, Uds. | quieren |

Other *e→ie* verbs are:

| | |
|---|---|
| aprentar | *to squeeze or press* |
| comenzar | *to begin* |
| empezar | *to begin* |
| entender | *to understand* |
| extender | *to extend* |
| pensar (+ inf.) | *to think; to plan (to do something)* |
| perder | *to lose* |
| preferir | *to prefer* |
| sentarse | *to sit down* |
| sentir(se) | *to feel* |

e→i

**pedir** *(to ask for; to request)*

| | | | |
|---|---|---|---|
| yo | pido | nosotros/as | pedimos |
| tú | pides | vosotros/as | pedís |
| él, ella, Ud. | pide | ellos, ellas, Uds. | piden |

Other *e→i* verbs are:

| | |
|---|---|
| conseguir | *to obtain* |
| reñir | *to fight* |
| repetir | *to repeat* |
| seguir | *to follow; to continue* |
| servir | *to serve* |

o→ue

**volver** (*to come back; to return*)

| | | | |
|---|---|---|---|
| yo | **vue**lvo | nosotros/as | volvemos |
| tú | **vue**lves | vosotros/as | volvéis |
| él, ella, Ud. | **vue**lve | ellos, ellas, Uds. | **vue**lven |

Other *o→ue* verbs are:

| | |
|---|---|
| acostarse | *to go to bed* |
| almorzar | *to eat lunch* |
| costar | *to cost* |
| doler | *to hurt* |
| dormir | *to sleep* |
| encontrar | *to find* |
| morir | *to die* |
| mover | *to move* |
| poder | *to be able to* |
| recordar | *to remember* |